Dix centimes, Mademoiselle.
Je veux le gros ballon!
Quel beau bébé!
Merci, Madame.

BERLITZ

My First French Book

Mon Premier Livre de Français

BY ROBERT STRUMPEN-DARRIE,
CHARLES and VALERIE BERLITZ
and the Staff of
THE BERLITZ SCHOOLS OF LANGUAGES

Illustrations by SHEL and JAN HABER

GROSSET & DUNLAP • Publishers • NEW YORK

MY FIRST FRENCH BOOK

In today's truly international world, Americans have become increasingly aware of the importance of starting the foreign language training of children as early as possible.

This book opens the door of French to children because it is written in terms of their own frame of reference. Linguistic research, conducted in Berlitz Schools throughout the world, has shown that children learn much more quickly when they deal with pictures, colors, objects, and situations with which they themselves are familiar. In this way, they participate in the lessons as if they were playing a game. The lessons and exercises of *My First French Book* are so designed that French is the only language needed while learning. The demonstrative pictures make translation unnecessary and teach the child French through everyday situations he would encounter if he were actually a French child. Thus, learning French becomes an enjoyable experience for the child and equally enjoyable for the teacher or parent who is guiding his first steps into a new and fascinating world.

The teacher should "act out" the lessons on the basis of demonstration and immediate participation by the child or children. Programmed exercises at the end of each lesson provide an easy and effective check on the child's assimilation of the material. As an added guide to the teacher, the following features should be noted:

1. All words used in lessons, as well as an easy phonetic guide to their pronunciation, are found in the special vocabulary starting on page 120.
2. Explanation of exercise content, key to the exercises, informative notes about sentence structure and verb forms, and hints about the most effective mode of presentation of the lessons are contained in the section beginning on page 104.
3. Each exercise should be given orally first and then in writing. In general, all teaching, even instructions, should be conducted only in French, so that the child acquires French effortlessly and naturally as a normal means of communication, which, of course, is exactly what it is to almost a hundred million people.

Library of Congress Catalog Card Number: 65-13770

CONTENTS

Première Leçon 9

Deuxième Leçon 15

Troisième Leçon 20

Quatrième Leçon 25

Cinquième Leçon 31

Sixième Leçon 37

Septième Leçon 42

Huitième Leçon 48

Neuvième Leçon 53

Dixième Leçon 59

Onzième Leçon 65

Douzième Leçon 72

Treizième Leçon 77

Quatorzième Leçon 84

Quinzième Leçon 90

Seizième Leçon 98

Explanatory Notes and Key to Exercises 104

Dictionary 120

Première Leçon

un train

une bicyclette

un chat

une balle

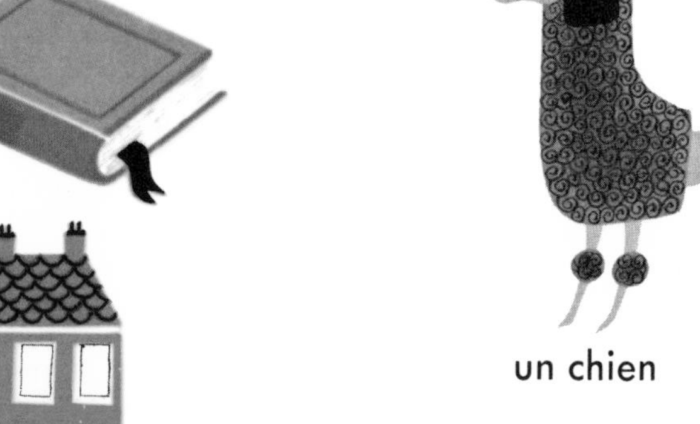

un livre

un chien

une maison

Est-ce une balle?

Oui, c'est une balle.

Est-ce un livre?

Oui, c'est un livre.

Est-ce un chat? Oui, c'est un chat.

Est-ce un chat? Non, ce n'est pas un chat.

Est-ce un train? Non, ce n'est pas un train.

Ce n'est pas un chat.
Ce n'est pas un train.
Qu'est-ce que c'est?

C'est un chien.

Qu'est-ce que c'est?

C'est une bicyclette.

Qu'est-ce que c'est?

C'est un livre.

Qu'est-ce que c'est?

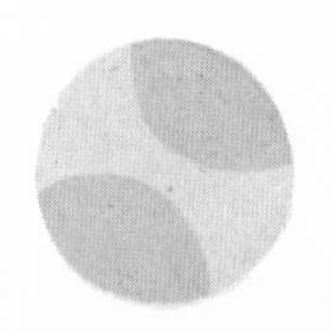

C'est une balle.

Qu'est-ce que c'est?  C'est un train.

Qu'est-ce que c'est?  C'est un chat.

Est-ce une bicyclette?  Oui, c'est une bicyclette.

Est-ce un livre?  Non, ce n'est pas un livre.
C'est une maison.

Est-ce un chat ou un chien?  C'est un chat.

Est-ce un livre ou une balle?  C'est un livre.

Très bien!

1	2	3	4	5
un	deux	trois	quatre	cinq

EXERCICE I

Circle correct words. Score 10 points for each correct answer.

Example: C'est un livre . . . . . une maison.

1. C'est une bicyclette . . . . . une balle.

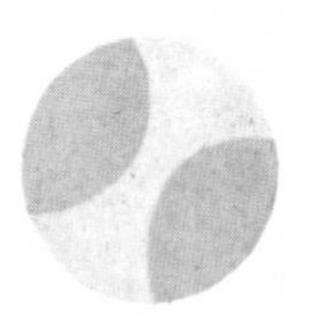

2. C'est une maison . . . . . un chat.

3. C'est un chien . . . . . un chat.

4. C'est une bicyclette . . . . . un livre.

5. C'est un livre . . . . . un train.

SCORE 50 POINTS.

EXERCICE II

Write answers to these questions. Score 10 points for each correct answer.

Example: Qu'est-ce que c'est? C'est un train.

1. Qu'est-ce que c'est? C'est un chien

2. Qu'est-ce que c'est? C'est une Maison

3. Est-ce un livre ou un chat? un livre

4. Est-ce un chien ou un chat? un chat

5. Est-ce une bicyclette? Oui, est-ce une bicyclette.

SCORE 50 POINTS.

EXERCICE III

Complete the following sentences. Score 10 points for each correct answer.

Spaces indicate number of letters in missing words.

Example: C'est une bicyclette.

1. C'est u n c h a t.

2. C'est u n e M a i s o n.

3. C'est u n e B i c y c l e t t e.

4. C'est u n c h i e n.

5. C'est u n L i v r e.

SCORE 50 POINTS.

Deuxième Leçon

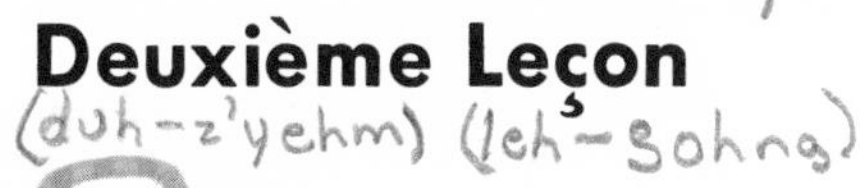
(duh-z'yehm) (leh-sohng)

un chapeau
(shah-poh)

un veston
(vehs-tohn)

un gant
(gahn)

un pantalon
(pahn-tah-lohng)

une jupe
(zhewp)

une chaussure
(shoh-sewr)

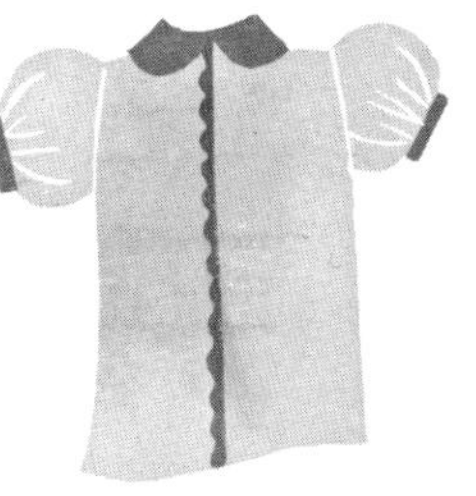

une blouse
(blooze)

un manteau
(mahn-toh)

une robe
(rohb)

une chemise
(shuh-meez)

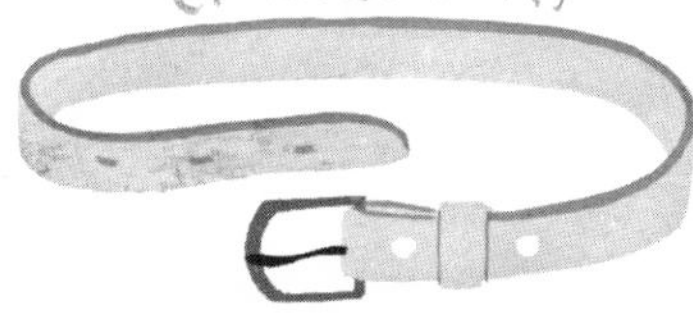

une ceinture
(sehn-tewr)

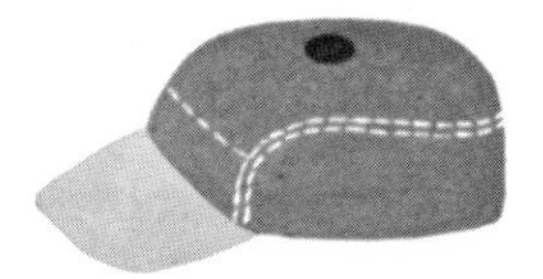

une casquette
(Kahs-keht)

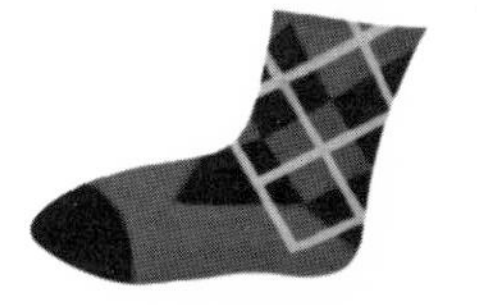

une chaussette
(Shoh-set)

Qu'est-ce que c'est?

C'est un veston.

Est-ce un gant ou une chaussette?

C'est une chaussette.

Est-ce une chaussure?

Non, monsieur, ce n'est pas une chaussure. C'est une jupe.

Est-ce un chapeau?

Oui, monsieur, c'est un chapeau.

Qu'est-ce que c'est?

C'est une chemise.

Très bien! À demain.

6	7	8	9	10
six	sept	huit	neuf	dix

EXERCICE I

Circle correct words. Score 10 points for each correct answer.

Example: C'est un chapeau . . . . une chaussure.

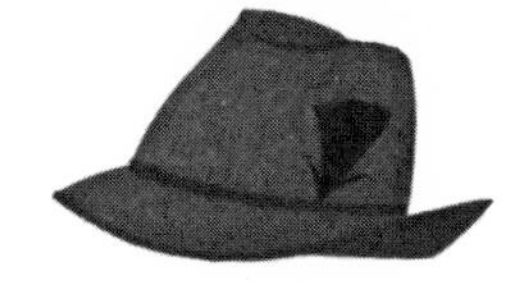

1. C'est une chemise . . . . . un gant.

2. C'est un pantalon . . . . . une chaussette.

3. C'est un chapeau . . . . . une ceinture.

4. C'est un veston . . . . . une robe.

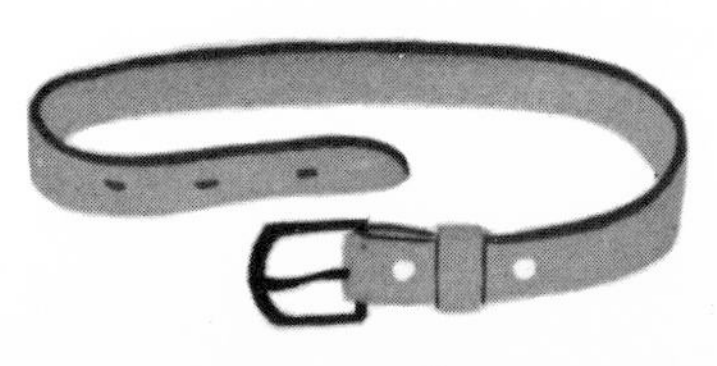

5. C'est une ceinture . . . . . une chaussure.

SCORE 50 POINTS.

EXERCICE II

Write answers to questions. Score 10 points for each correct answer.

Example: Qu'est-ce que c'est?  C'est un gant.

1. Qu'est-ce que c'est?  C'est un chapeau.

2. Qu'est-ce que c'est? 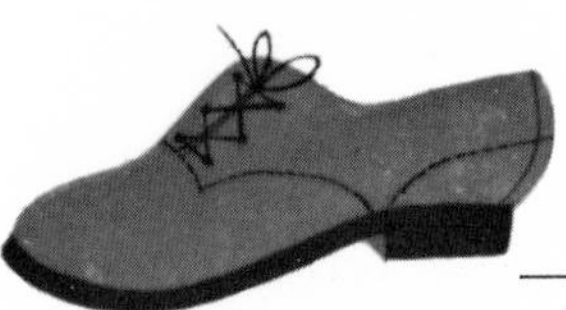 C'est une chaussure.

x 3. Est-ce un chapeau? 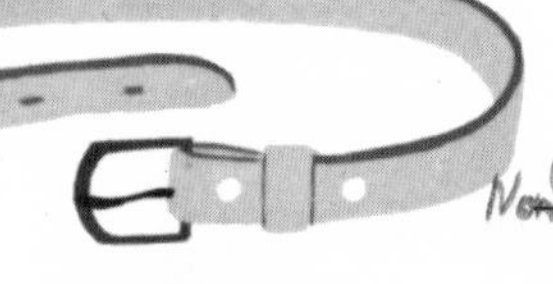 Non C'est une ceinture.

x 4. Est-ce une chemise?  Non C'est un pantalon.

x 5. Est-ce un pantalon?  Non C'est un chapeau.

SCORE 20 POINTS.

EXERCICE III

Fill in blank spaces. Score 10 points for each correct answer.

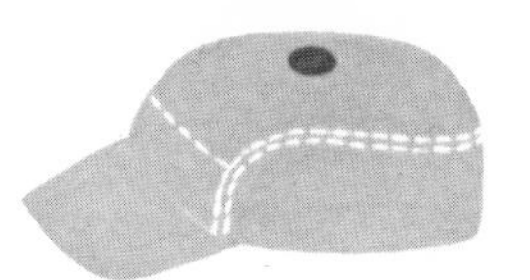

Example: C'est une casquette.

1. C'est un chapeau.

2. C'est une robe.

3. C'est une chaussure.

4. C'est une ceinture.

5. C'est une chemise.

SCORE 50 POINTS.

Troisième Leçon

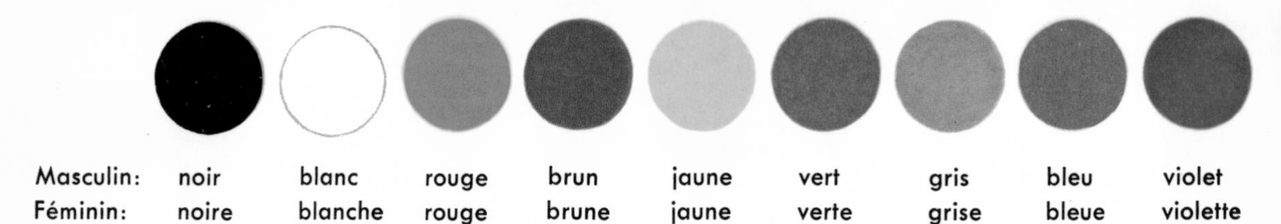

Masculin:	noir	blanc	rouge	brun	jaune	vert	gris	bleu	violet
Féminin:	noire	blanche	rouge	brune	jaune	verte	grise	bleue	violette

Le ballon est rouge.

La rose est rouge.

Le gant est jaune.

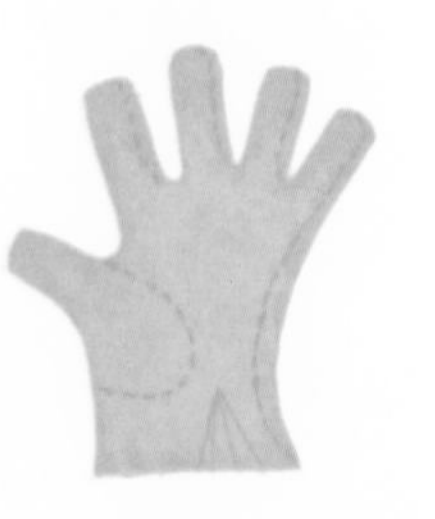

La jupe est jaune.

Le téléphone est noir.

La bicyclette est noire.

Le chat est blanc.

La balle est blanche.

Le chien est gris.

La casquette est grise.

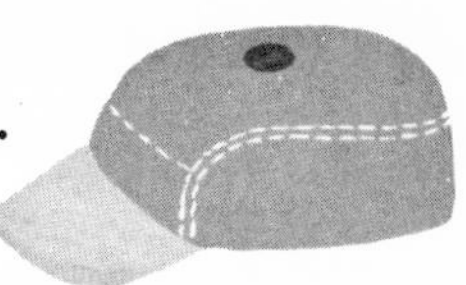

L'autobus est vert.

La table est verte.

De quelle couleur est la balle?

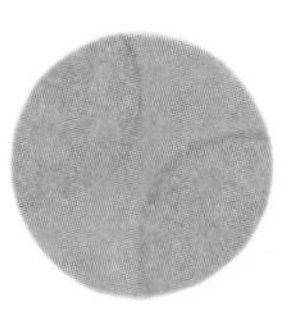

La balle est verte et bleue.

De quelle couleur
est la maison?

La maison est blanche et rouge.

De quelle couleur est l'arbre?

L'arbre est vert.

Est-ce que l'automobile
est verte?

Oui, monsieur, l'automobile
est verte.

11	12	13	14	15
onze	douze	treize	quatorze	quinze

EXERCICE I

Color the pictures the same as the pictures on pages 20 and 21.
Circle correct words. Score 10 points for each correct answer.

Example: C'est la rose rouge . . . . . le chat blanc.

1. C'est la table noire . . . . . l'automobile verte.

2. C'est l'arbre vert . . . . . la maison blanche et rouge.

3. C'est la bicyclette noire . . . . . l'automobile verte.

4. C'est le chat blanc . . . . . le chien gris.

5. C'est le ballon rouge . . . . . le gant jaune.

SCORE 50 POINTS.

EXERCICE II

Color the pictures the same as the pictures on pages 20 and 21.
Write answers to questions. Score 10 points for each correct answer.

Example: De quelle couleur est la balle? La balle est blanche.

1. De quelle couleur est l'autobus? L'autobus est vert.

2. De quelle couleur est le téléphone? Le téléphone est noire.

3. Est-ce que l'arbre est blanc ou vert? L'arbre est vert.

4. Est-ce que le chat est blanc ou bleu? Le chat est blanc.

5. De quelle couleur est le chien? Le chien est gris

SCORE 50 POINTS.

EXERCICE III

Complete these sentences. Score 10 points for each correct answer.

Example: Le ballon est rouge.

1. L' ARBRE est VERT.

2. La ROSE est ROUGE.

3. L' AUTOBUS est VERT.

4. Le TÉLÉPHONE est NOIR.

5. L' AUTOMOBILE est ROUGE.

SCORE 50 POINTS.

Quatrième Leçon

Charles

Albert

Charles est petit. Albert est grand.

Charles est plus petit qu'Albert. Albert est plus grand que Charles.

Le pantalon de Charles est court. Le pantalon d'Albert est long.

Est-ce que le pantalon de Charles est long?

Non, le pantalon de Charles est court.

Est-ce que le pantalon de Charles est plus court que le pantalon d'Albert?

Oui, le pantalon de Charles est plus court que le pantalon d'Albert.

Est-ce que Charles est plus petit qu'Albert?

Oui, Charles est plus petit qu'Albert.

Est-ce qu'Albert est plus petit que Charles?

Non, Albert est plus grand que Charles.

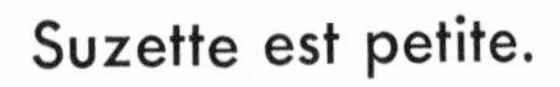

Suzette

Suzette est petite.

La jupe de Suzette est courte.

Est-ce que la jupe de Suzette est courte?

Oui, la jupe de Suzette est courte.

Geneviève

Geneviève est grande.

La jupe de Geneviève est longue.

Est-ce que la jupe de Geneviève est courte?

Non, la jupe de Geneviève n'est pas courte.

La jupe de Geneviève est longue.

L'éléphant

L'éléphant est grand.

Est-ce que l'éléphant est petit?

Non, l'éléphant n'est pas petit.

L'éléphant est grand.

La souris

La souris est petite.

Est-ce que la souris est grande?

Non, la souris n'est pas grande.

La souris est petite.

L'éléphant est plus grand que la souris.

La souris est plus petite que l'éléphant.

Le bébé est petit. La petite fille est plus grande que le bébé.
Le petit garçon est plus grand que la petite fille.
La femme est plus grande que le petit garçon et l'homme est plus grand que la femme. Est-ce que l'homme est plus grand que le petit garçon? Oui, l'homme est plus grand que le petit garçon.

16	17	18	19	20
seize	dix-sept	dix-huit	dix-neuf	vingt

EXERCICE I

Circle correct words. Score 10 points for each correct answer.

Example: Le bébé est grand . . . . . petit.

1. L'éléphant est grand . . . . . petit.

2. La souris est grande . . . . . petite.

3. Le pantalon d'Albert est long . . . . . court.

4. La jupe de Suzette est longue . . . . . courte.

5. La jupe de Geneviève est longue . . . . . courte.

SCORE ______ POINTS.

EXERCICE II

Answer questions. Score 10 points for each correct answer.

Example: Est-ce que l'éléphant est grand ou petit? L'éléphant est grand.

1. Est-ce que l'homme est grand? ______________________

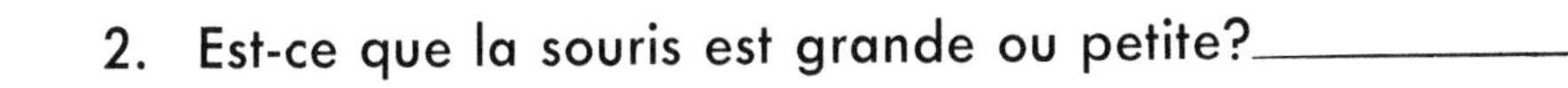

2. Est-ce que la souris est grande ou petite? ______________________

3. Est-ce que le bébé est grand? ______________________

4. Est-ce que le pantalon d'Albert est court? ______________________

5. Est-ce que la jupe de Suzette est longue ou courte? ______________________

SCORE ______ POINTS.

EXERCICE III

Fill in missing words. Score 10 points for each correct answer.

Example: L'éléphant est plus grand que la souris.

1. L'homme est _ _ _ _ grand _ _ _ le bébé.

2. L'automobile est plus _ _ _ _ _ _ _ que la bicyclette.

3. La petite fille est _ _ _ _ petite _ _ _ la femme.

4. Le chat est plus _ _ _ _ _ _ que le chien.

5. La jupe de Suzette est _ _ _ _
   courte _ _ _ la jupe de Geneviève.

SCORE ______ POINTS.

Cinquième Leçon

Pierre est un petit garçon français. Il est français.

Marie est une petite fille française. Elle est française.

Pierre et Marie sont français. Ils sont français.

Fritz est un petit garçon allemand. Il est allemand.
Berta est une petite fille allemande. Elle est allemande.
Les deux enfants sont allemands.

Ce petit garçon est chinois. Cette petite fille est chinoise, aussi.
Il n'est pas français. Elle n'est pas française. Ils sont chinois.

Ces deux enfants sont russes. Le petit garçon est russe. La petite fille est russe. Les deux enfants sont russes. Est-ce que la petite fille est chinoise? Non, elle n'est pas chinoise. Elle est russe.

Betty et Billy sont américains. Il est américain. Elle est américaine, aussi. Est-ce qu'ils sont français? Non, ils ne sont pas français. Ils sont américains.

Ce petit garçon est espagnol. Cette petite fille est espagnole. Les deux enfants sont espagnols. Est-ce qu'ils sont américains? Non, ils ne sont pas américains. Ils sont espagnols.

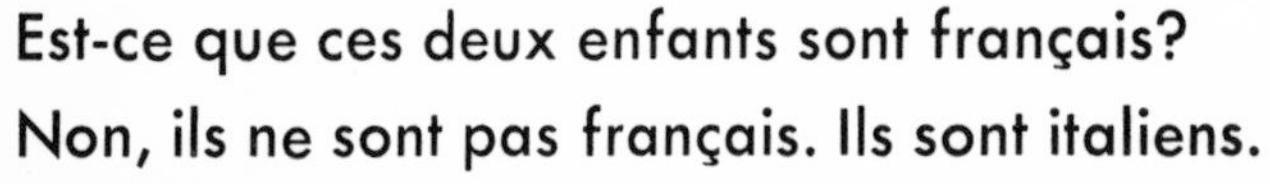

Est-ce que ces deux enfants sont français?
Non, ils ne sont pas français. Ils sont italiens.

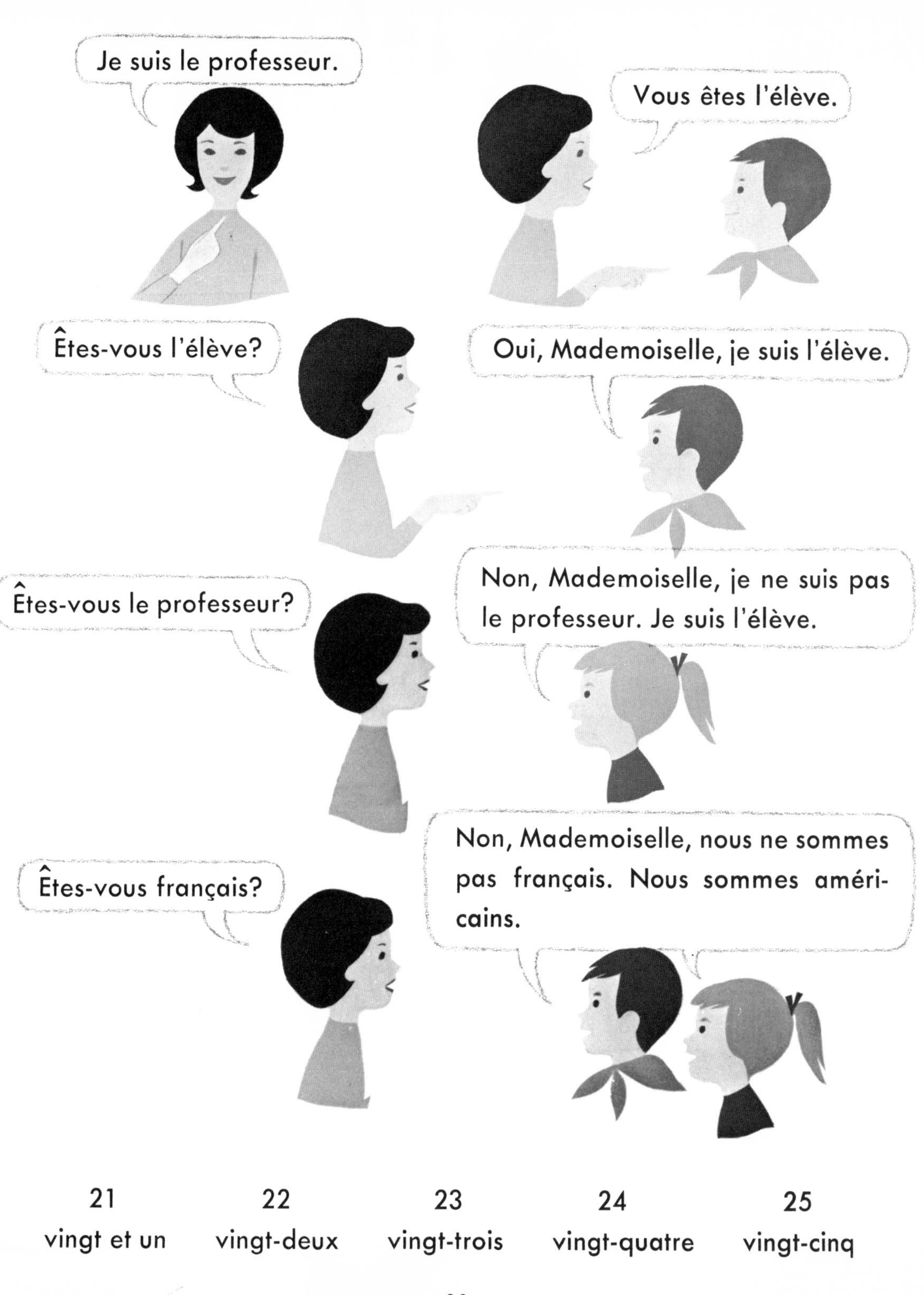

21	22	23	24	25
vingt et un	vingt-deux	vingt-trois	vingt-quatre	vingt-cinq

EXERCICE I

Circle correct words. Score 10 points for each correct answer.

Example: Cette petite fille est chinoise . . . . . espagnole.

1. Antonio est espagnol . . . . . chinois.

2. Ce petit garçon est allemand . . . . . russe.

3. Cette petite fille est chinoise . . . . . américaine.

4. Ce petit garçon est espagnol . . . . . russe.

5. Nous sommes français . . . . . américains.

SCORE ______ POINTS.

EXERCICE II

Write answers to questions. Score 10 points for each correct answer.

Example: Est-ce que cette petite fille est espagnole? Non, elle n'est pas espagnole. Elle est allemande.

1. Est-ce que cette petite fille est française?____________________

2. Est-ce que ce petit garçon est allemand?____________________

3. Est-ce que cette petite fille est française?____________________

4. Est-ce que ces enfants sont français?____________________

5. Est-ce que nous sommes américains?____________________

SCORE ______ POINTS.

EXERCICE III

Answer questions. Score 10 points for each correct answer.

Example: Suis-je le professeur? Oui, Mademoiselle, vous êtes le professeur.

1. Est-ce que Robert est le professeur? ______________________

2. Êtes-vous le professeur? ______________________

3. Sommes-nous américains ou chinois? ______________________

4. Est-ce que Robert et Charles sont grands? ______________________

5. Marie et Françoise, sont-elles grandes ou petites? ______________________

SCORE ______ POINTS.

Sixième Leçon

1. Voici Robert.
Robert a un ballon.
C'est le ballon de Robert.
C'est son ballon.

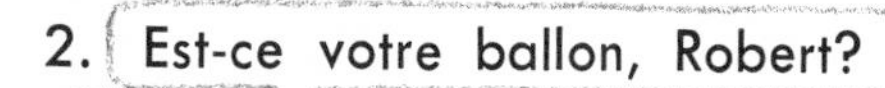

2. Est-ce votre ballon, Robert?

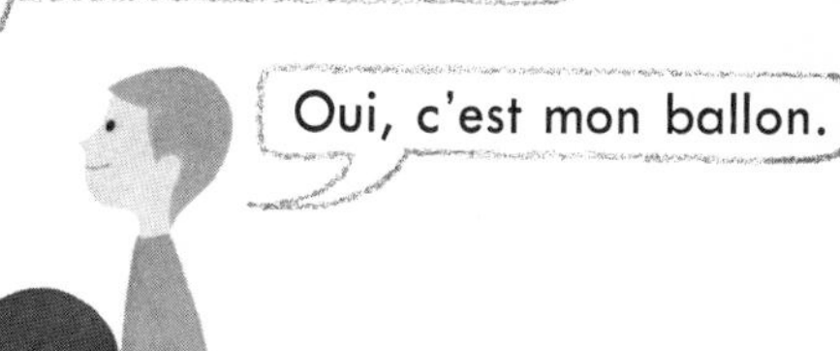

Oui, c'est mon ballon.

3. Voici Rose.
Rose a un ballon.
C'est le ballon de Rose.
C'est son ballon.

4. Est-ce votre ballon, Rose?

Oui, c'est mon ballon.

5. Robert a une bicyclette.
C'est la bicyclette de Robert.
C'est sa bicyclette.
Est-ce votre bicyclette, Robert?

Oui, c'est ma bicyclette.

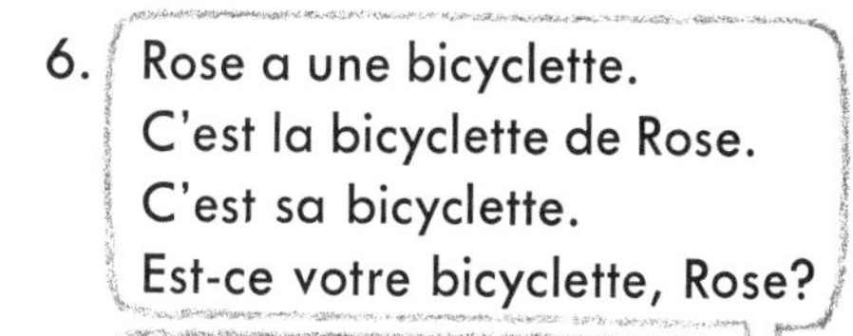

6. Rose a une bicyclette.
C'est la bicyclette de Rose.
C'est sa bicyclette.
Est-ce votre bicyclette, Rose?

Oui, c'est ma bicyclette.

7. Est-ce ma bicyclette?

Non, ce n'est pas votre bicyclette.

8. Est-ce la bicyclette de Robert?

Non, ce n'est pas sa bicyclette.

9. À qui est la bicyclette?

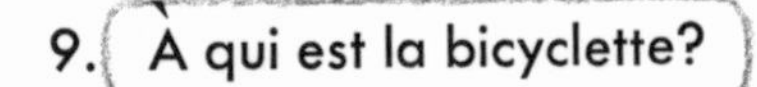

C'est ma bicyclette.

10. Voici Rose. C'est sa bicyclette.

11. Voici mes chaussures.
Ce ne sont pas les chaussures de Robert.
Ce ne sont pas ses chaussures.
Ce sont mes chaussures.

12. À qui sont les chaussures?

Ce sont vos chaussures.

13. Voici les manteaux des enfants.
Ce ne sont pas vos manteaux.
Ce sont leurs manteaux.

14. Voici une maison.
C'est la maison de Robert et de Rose. C'est leur maison.

15. À qui est la maison?

C'est notre maison.

16. Voici mon livre. Voilà le livre de Robert. Ce sont nos livres.

EXERCICE I

Fill in missing words. Score 10 points for each correct answer.

Example: Ce sont les gants de Rose. Ce sont ses gants.

1. C'est le ballon de Suzette. C'est ___ ___ ___ ballon.

2. Ce sont les livres de Robert. Ce sont ___ ___ ___ livres.

3. C'est le chapeau de Madame Albert. C'est ___ ___ ___ chapeau.

4. C'est l'automobile de Monsieur Toutain. C'est ___ ___ ___ automobile.

5. C'est la maison de Robert et de Rose. C'est ___ ___ ___ ___ maison.

SCORE ______ POINTS.

EXERCICE II

Answer questions. Score 10 points for each correct answer.

Example: Est-ce le ballon de Suzette? Oui, c'est son ballon.

1. Est-ce votre bicyclette? ______________________

2. Est-ce le chapeau de Madame Albert? ______________________

3. Est-ce la bicyclette de Rose? ______________________

4. Est-ce la maison de Robert et de Rose? ______________________

5. À qui est ce ballon? ______________________

SCORE ______ POINTS.

EXERCICE III

Change the following sentences into the negative.
Score 10 points for each correct answer.

Example: C'est mon chapeau. Ce n'est pas mon chapeau.

1. C'est mon chien. __ __'__ __ __ __ __ __ mon chien.

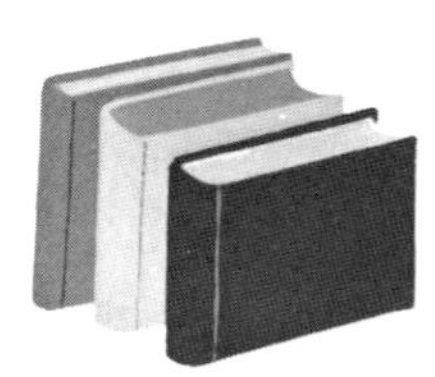

2. Ce sont nos livres. __ __ __ __ __ __ __ __ __ __ __ nos livres.

3. C'est votre chaussure. __ __ __'__ __ __ __ __ __ votre chaussure.

4. C'est ma bicyclette. __ __ __'__ __ __ __ __ __ ma bicyclette.

5. Ce sont leurs ballons. __ __ __ __ __ __ __ __ __ __ __ leurs ballons.

SCORE ______ POINTS.

Septième Leçon

7.
Je suis debout. Roberta est debout. Vous n'êtes pas debout. Vous êtes assis.
8.
La table est devant moi. La carte est derrière moi. La table est entre vous et moi.
9.
Je suis le professeur. Je suis dans la classe. Vous êtes les élèves. Vous êtes dans la classe.
10.
Paul, où est le dictionnaire français?
Sur la table, Mademoiselle.
11.
Très bien. Où est le drapeau?
Au-dessus du tableau, Mademoiselle.
12.
Bien, et où est le tableau?
Là, au mur, au-dessous du drapeau, Mademoiselle.

13.
Anatole, où est la carte d'Amérique?
Là, à côté du tableau, Mademoiselle.
14.
Et les crayons, où sont-ils?
Là, dans la boîte.
15.
Alice, est-ce que la corbeille est sur la table?
Non, Mademoiselle, elle est sous la table.
16.
Lucille et Robert, êtes-vous debout?
Non, Mademoiselle, nous sommes assis.
17.
Où est Anne?
Je suis ici, Mademoiselle, entre Jeanne et Renée.
18.
Êtes-vous derrière moi?
Non, Mademoiselle, nous sommes devant vous.
19.
Parfait! Vous êtes des élèves très intelligents.
Merci, Mademoiselle.
20.
Au revoir, mes enfants. À demain.
À demain, Mademoiselle.

EXERCICE I

Circle correct words. Score 10 points for each correct answer.

Example: Suzanne est à la maison . . . . . dans l'automobile.

1. Simone est à l'école . . . . . dans l'autobus.

2. Jean est à la maison . . . . . en classe.

3. Le drapeau est sous la table . . . . . au-dessus du tableau.

4. Les crayons sont à côté de la table . . . . . dans la boîte.

5. Le professeur est assis . . . . . debout.

SCORE ______ POINTS.

EXERCICE II

Answer questions. Score 10 points for each correct answer.

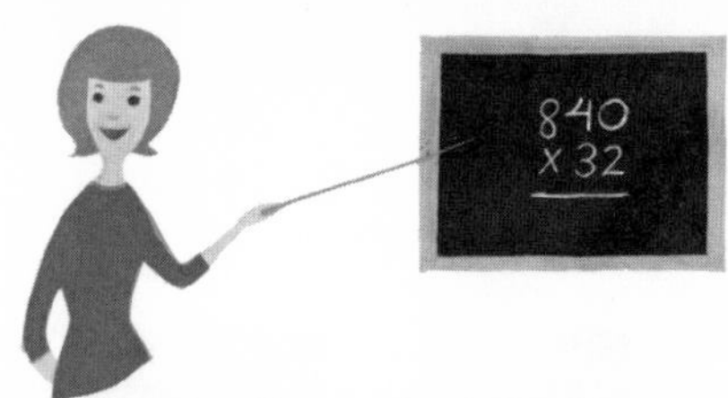

Example: Où est Mademoiselle Dubois? Elle est à l'école.

1. Où est le professeur? ______________________________

2. Est-ce que Mademoiselle Dubois est debout? ______________________________

3. Est-ce que les élèves sont debout? ______________________________

4. Où est ce livre? ______________________________

5. Où est la corbeille? ______________________________

SCORE ______ POINTS.

EXERCICE III

Answer questions. Score 10 points for each correct answer.

Example: Est-ce que Lucille est assise? <u>Oui, elle est assise.</u>

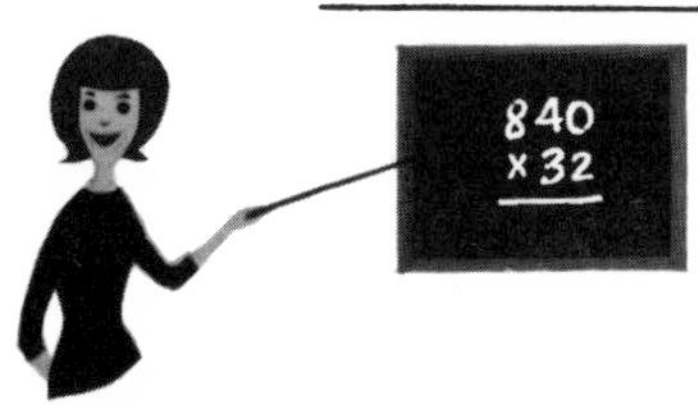

1. Est-ce que je suis dans la classe? ______________________________

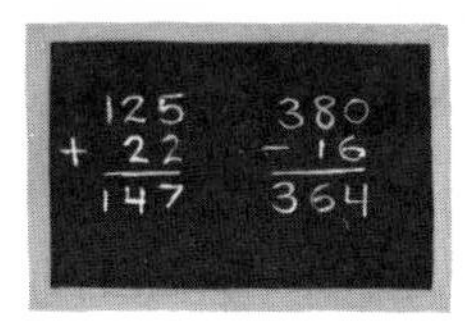

2. Êtes-vous à la maison? ______________________________

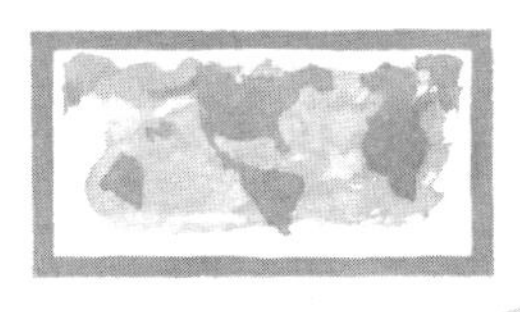

3. Anatole est-il dans le train? ______________________________

4. Où sont Pierre et Jean? ______________________________

5. Sommes-nous dans l'autobus? ______________________________

SCORE ______ POINTS.

Huitième Leçon

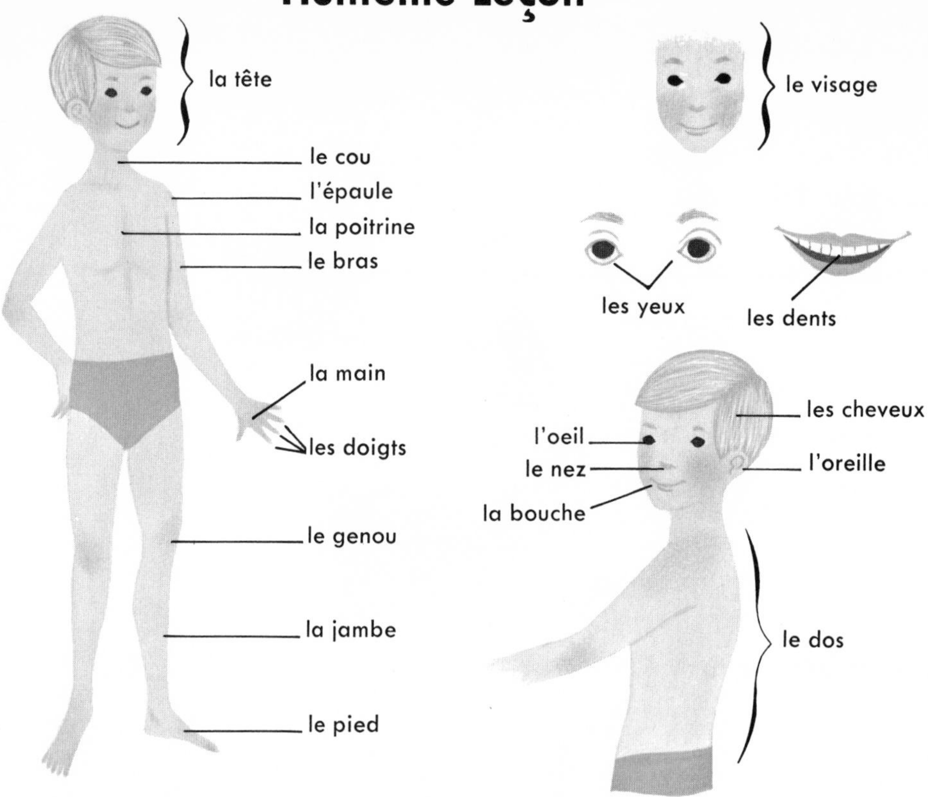

Voici Jean. Jean a une tête, deux mains et deux pieds.

Jean, a-t-il deux yeux? Oui, il a deux yeux. Jean a les yeux noirs.

Combien de bras a Jean? Il a deux bras.

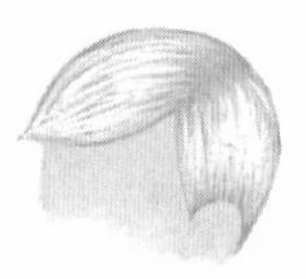

De quelle couleur sont les cheveux de Jean? Ses cheveux sont blonds.

Est-ce que j'ai les yeux verts? Non, j'ai les yeux noirs.

J'ai deux mains et dix doigts. Combien de jambes avez-vous?
Vous avez deux jambes.

J'ai les yeux noirs et Jean a les yeux noirs. Nous avons les yeux noirs.

Pierre et Charles ont les cheveux courts. Ils ont les cheveux courts.

Marianne et Hélène ont les cheveux longs. Elles ont les cheveux longs.
Elles n'ont pas les cheveux courts.

Marie a un chapeau sur la tête.

Charles a un ballon dans la main.

26	27	28	29	30
vingt-six	vingt-sept	vingt-huit	vingt-neuf	trente

EXERCICE I

Circle correct words. Score 10 points for each correct answer.

Example: Jean a les yeux verts . . . . . les yeux noirs.

1. Pierre et Charles ont les cheveux courts . . . . . longs.

2. Dorothée a les cheveux noirs . . . . . les cheveux blonds.

3. Pierre a une tête . . . . . deux têtes.

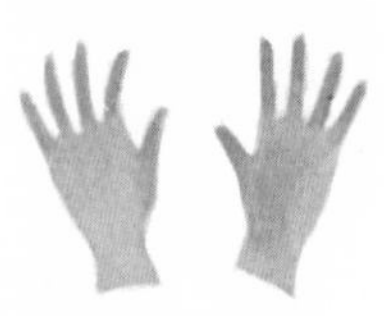

4. J'ai six doigts . . . . . dix doigts.

5. Jeannette et Suzanne ont les yeux noirs . . . . . les yeux bleus.

SCORE ______ POINTS.

EXERCICE II

Write answers to questions. Score 10 points for each correct answer.

Example: Est-ce que Jean a les yeux bleus? Non, il n'a pas les yeux bleus. Il a les yeux noirs.

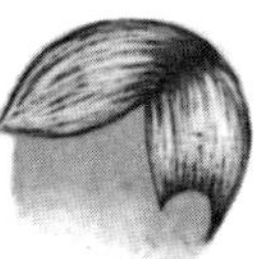

1. De quelle couleur sont les cheveux de Jean? ______________________

2. Est-ce que Marie a les cheveux verts? ______________________

3. Combien de mains a Pierre? ______________________

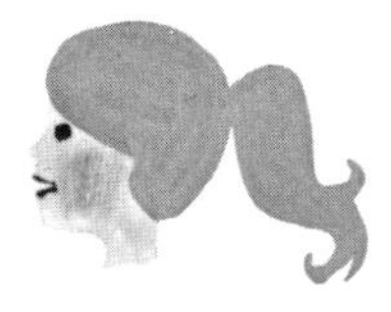

4. Est-ce que les petites filles ont les cheveux courts? ______________________

5. Est-ce que j'ai les cheveux longs? ______________________

SCORE ______ POINTS.

EXERCICE III

Answer questions. Score 10 points for each correct answer.

Example: Est-ce que Marie a les yeux noirs? Oui, elle a les yeux noirs.

1. Est-ce que j'ai les yeux noirs? ______________________

2. Avons-nous deux ou trois oreilles? ______________________

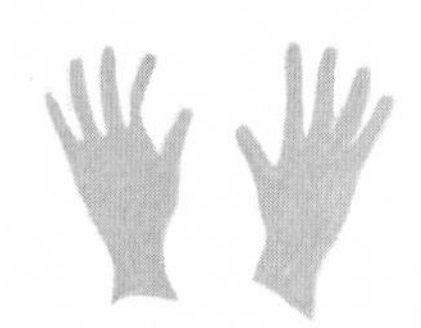

3. Pierre a dix doigts. Il n'a pas onze doigts.
   A-t-il onze doigts? ______________________

4. Est-ce que les hommes ont les cheveux longs? ______________________

5. Marie et moi, nous avons les cheveux noirs. Nous n'avons pas les cheveux blonds. Est-ce que nous avons les cheveux noirs ou blonds?

   ____

SCORE ______ POINTS.

Neuvième Leçon

1.

Voici la famille Lamare: le père, la mère et les quatre enfants. Suzanne et Paulette sont soeurs. Pierre et Toto sont frères.

2.

Voici M. et Mme. Dupont, le grand-père et la grand-mère des enfants. Ce sont les parents de Mme. Lamare. Madame Lamare est leur fille.

3. La famille Lamare est en visite chez les grands-parents.

4.

5.

6.

7. Quel âge avez-vous, mes enfants?

J'ai huit ans.

J'ai dix ans.

J'ai quatorze ans, grand-père.

8. Et votre frère Toto, quel âge a-t-il?

Oh, c'est un bébé. Il a six mois seulement.

9. Est-ce que mes petites-filles prennent des leçons de musique?

Oui, maman. Suzanne prend des leçons de piano et Paulette prend des leçons de violon.

10. Mes petites-filles sont très intelligentes!

Et mon petit-fils aussi.

11. Mes enfants, voilà du chocolat. Et des gâteaux.

Merci, grand'mère!

12. Est-ce que le chocolat est bon?

Oh, il est excellent.

Et le gâteau aussi, maman.

Ce gâteau est très bon, Madame.

13.

14.

15.

16.

17.

18. Suzanne prend les fleurs, Pierre prend les pommes et Madame Lamare prend l'enfant. La visite est finie.

EXERCICE I

Circle correct words. Score 10 points for each correct answer.

Example: C'est la mère . . . . . le frère de Pierre.

1. C'est la soeur . . . . . la fille de Pierre.

2. C'est la mère . . . . . la grand'mère des enfants.

3. Monsieur Dupont est le fils . . . . . le père de Madame Lamare.

4. Pierre est le fils . . . . . le frère de Toto.

5. C'est le grand-père . . . . . le fils de Monsieur et Madame Lamare.

EXERCICE II

Write answers to questions. Score 10 points for each correct answer.

Example: Est-ce que Monsieur Lamare est le père des enfants?

Oui, c'est leur père.

1. Qui est cette dame? ______________________________

2. Est-ce que Madame Lamare est la mère de Pierre? ______________

3. Qui est ce monsieur? ______________________________

4. Est-ce que Monsieur Dupont est le grand-père de Suzanne et de Paulette? ______________________________

5. Est-ce que Monsieur Dupont est le père de Madame Lamare?

____

SCORE ______ POINTS.

EXERCICE III

Answer questions. Score 10 points for each correct answer.

Example: Est-ce que je prends le livre d'anglais? Non, vous ne prenez pas le livre d'anglais, vous prenez le livre de français.

1. Que prennent les enfants? ______________________________

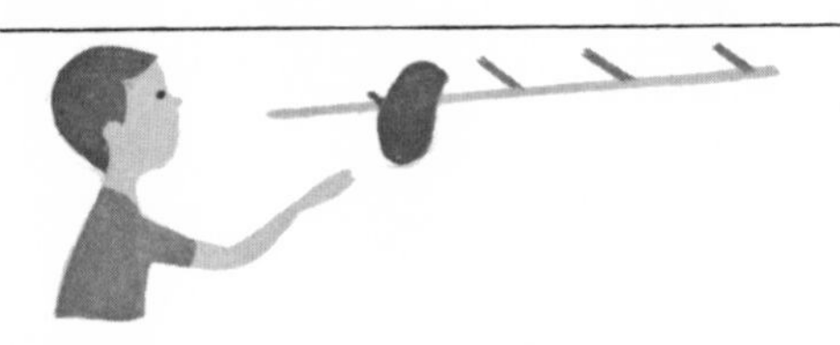

2. Que prend Pierre? ______________________________

3. Suzanne prend-elle une leçon de violon? ______________________________

4. Prenons-nous une leçon de français ou une leçon d'espagnol?

____

5. Est-ce que je prends une pomme? ______________________________

SCORE ______ POINTS.

Dixième Leçon

C'est la maison de la famille Lamare. C'est une belle maison.

Devant la maison il y a un jardin. Dans le jardin il y a des arbres et beaucoup de fleurs.

Il y a des roses, des tulipes et des violettes.

À côté de la maison il y a un garage.
Dans le garage il y a une automobile. C'est l'auto de Monsieur Lamare.

Où est Pierre? Il est devant la maison.

Que fait Pierre? Il ouvre la porte et entre dans la maison.
Il ferme la porte et met ses livres sur la chaise.

Il entre dans le salon. Dans le salon il y a un piano, des chaises, une petite table et un canapé. Il y a un beau tableau sur le mur.

La mère de Pierre est assise sur le canapé.
Le bébé est couché à côté de sa mère sur le canapé.

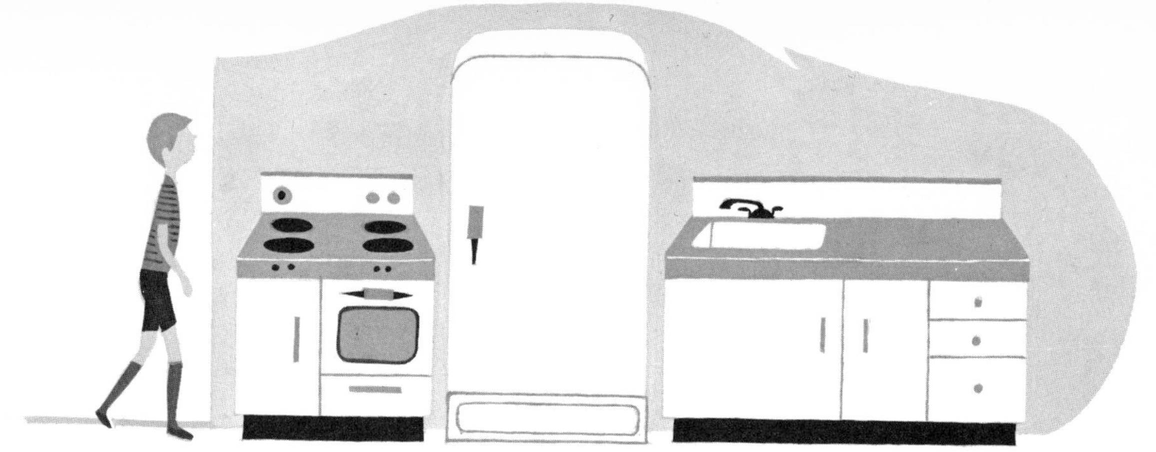

Pierre entre dans la cuisine. Que fait-il dans la cuisine?

Il ouvre le frigidaire et prend une bouteille de lait. Il met du lait dans un verre.

Où sont Suzanne et Paulette? Elles sont dans la salle à manger.
Elles sont assises devant la télévision.
Le programme de télévision est très amusant.

31	32	33	34	35
trente et un	trente-deux	trente-trois	trente-quatre	trente-cinq

EXERCICE I

Circle correct words. Score 10 points for each correct answer.

Example: Pierre met son livre sur le canapé . . . . (sur la chaise.)

1. Il y a deux garages . . . . . deux arbres dans le jardin.

2. Pierre est devant la maison . . . . . à l'école.

3. La soeur de Pierre est dans le jardin . . . . . dans le salon.

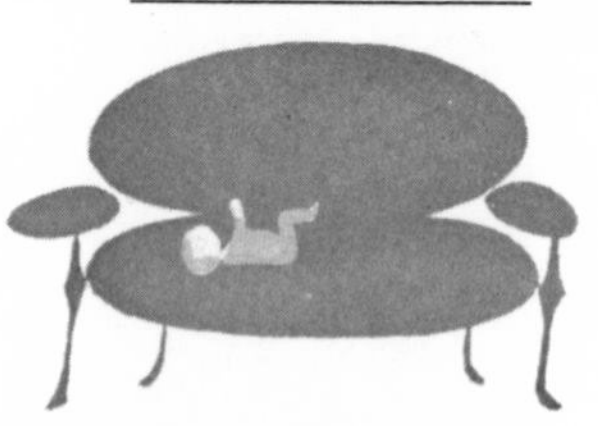

4. L'enfant est couché sur le canapé . . . . . dans le frigidaire.

5. Suzanne est assise devant la télévision . . . . . le piano.

SCORE ______ POINTS.

EXERCICE II

Answer questions. Score 10 points for each correct answer.

Example: Mettons-nous les livres sur la table? Oui, nous mettons les livres sur la table.

1. Est-ce que je mets mon chapeau sur la chaise? ____________________

2. Que prend Suzanne? ____________________

3. Est-ce que Pierre ouvre la porte? ____________________

4. Est-ce que nous fermons la fenêtre? ____________________

5. Est-ce que les élèves entrent dans l'école? ____________________

SCORE ______ POINTS.

EXERCICE III

Answer questions. Score 10 points for each correct answer.

Example: Que fait Pierre? Il met son chapeau sur le canapé.

1. Que fait Pierre? ________________________________

2. Que font les élèves? ________________________________

3. Que font les petites filles? ________________________________

4. Que fait le professeur? ________________________________

5. Que fait Suzanne? ________________________________

SCORE ______ POINTS.

Onzième Leçon

Louise, Caroline et Jeannette vont à la plage.
Elles ont des serviettes et des maillots de bain.

La plage n'est pas près de l'école. Elle est loin de l'école.

Elles ne vont pas à la plage à pied. Elles vont à la plage en autobus.
Elles disent à Paulette et à Claude: "Venez avec nous à la plage!"

"Non, merci. Je vais au cinéma avec Claude," dit Paulette. Le cinéma est près de l'école. Beaucoup d'autres enfants vont aussi au cinéma.

Ils entrent dans le cinéma à deux heures. Ils sortent du cinéma à cinq heures.

Robert et Charles vont au jardin zoologique.
Il y a beaucoup d'animaux sauvages dans les cages.
Les enfants regardent les lions, les tigres, les éléphants,

les singes, les ours et l'hippopotame. "Comme il est laid, l'hippopotame!" dit Robert.

Dans le jardin zoologique il y a des serpents,
des poissons et aussi des oiseaux.
"Le paon est beau!" dit Charles.

Jacques, Georges, Rose et Hélène vont à la piscine.

Les enfants entrent dans la piscine et ils nagent dans l'eau.
Georges nage bien. Jacques ne nage pas. Il a froid.

Jacques sort de l'eau. "L'eau est froide," dit-il.
Les petites filles disent, "Nous n'avons pas froid. Le soleil est chaud."

"Allons au restaurant," dit Hélène. "C'est une bonne idée," disent les autres. Ils entrent dans le restaurant.

Ils sortent du restaurant et montent dans l'autobus.

À la Rue de la République, Hélène et Rose descendent de l'autobus.
"Au revoir," disent les petites filles aux garçons.
"À bientôt!" disent Georges et Jacques.

36	37	38	39	40
trente-six	trente-sept	trente-huit	trente-neuf	quarante

EXERCICE I

Circle correct words. Score 10 points for each correct answer.

Example: Robert va à la piscine . . . . . au jardin zoologique.

1. Le cinéma est près . . . . . loin de l'école.

2. L'hippopotame est laid . . . . . beau.

3. Georges et Jacques nagent dans l'eau . . . . . au restaurant.

4. Jacques sort de la piscine . . . . . du cinéma.

5. Les lions et les tigres sont à l'école . . . . . au jardin zoologique.

SCORE ______ POINTS.

EXERCICE II

Answer questions. Score 10 points for each correct answer.

Example: Où vont Louise et Caroline? <u>Elles vont à la plage.</u>

1. Le cinéma est-il près de l'école? ____________________

2. Où vont Robert et Charles? ____________________

3. Quels animaux regardent-ils au jardin zoologique? ____________________

4. Paulette va-t-elle à la plage? ____________________

5. Est-ce que Jacques a chaud? ____________________

SCORE ______ POINTS.

EXERCICE III

Answer questions. Score 10 points for each correct answer.

Example: Paulette et Claude vont-ils au cinéma? Oui, ils vont au cinéma.

1. Est-ce que le petit garçon va au cinéma?____________________

2. Est-ce-que Rose descend de l'autobus?____________________

3. Quels sont ces animaux?______________________________

4. Est-ce que Georges nage dans la piscine?____________________

5. Est-ce que Jacques sort de la piscine?________________________

SCORE ______ POINTS.

Douzième Leçon

Les élèves sont dans le parc.

Pierre, Jean, Edouard et les autres enfants jouent au football. Jean est près du but. Les autres enfants courent. Deux enfants sont par terre.

Ici Renée, Suzanne et Jeannette ont une petite radio. La musique est gaie. Caroline, Hélène, Françoise et Isabelle dansent. Charlotte ne danse pas; elle est assise.

Antoine, Claude, Charles et Robert jouent au tennis. Ils ont des raquettes et des balles blanches. Ils jouent avec leurs raquettes et leurs balles.

Les autres enfants courent et sautent.

Les petits ont des jouets. Philippe et Louis ont un train.
Victor, Georges et Paul jouent aux billes.
Vincent et Renaud jouent à la toupie.

Marie saute à la corde et Pauline et Ernestine ont des poupées dans les bras.
Isabelle est assise sur une balançoire. Marc joue avec un cerf-volant.

50	60	70	80	90	100
cinquante	soixante	soixante-dix	quatre-vingts	quatre-vingt-dix	cent

EXERCICE I

Circle correct words. Score 10 points for each correct answer.

Example: Les enfants sont à la plage . . . . . dans le parc.

1. Marie court . . . . . saute à la corde.

2. Vincent et Renaud ont une radio . . . . . une toupie.

3. Victor, Georges et Paul jouent au football . . . . . aux billes.

4. Les enfants jouent au football dans une automobile . . . . . dans le parc.

5. Charles et Robert dansent . . . . . jouent au tennis.

SCORE ______ POINTS.

EXERCICE II

Answer questions. Score 10 points for each correct answer.

Example: Victor et Paul, jouent-ils aux billes? Oui, ils jouent aux billes.

1. Où sont les enfants? ____________________

2. Suzanne et Jeannette jouent-elles au football? ____________________

3. Charlotte danse-t-elle? ____________________

4. Antoine et Charles jouent-ils au tennis? ____________________

5. Quel jouet Vincent et Renaud ont-ils? ____________________

SCORE ______ POINTS.

EXERCICE III

Answer questions. Score 10 points for each correct answer.

Example: Est-ce que Marie et Charlotte courent? Oui, elles courent.

1. Est-ce que les petites filles dansent?____________________

2. Est-ce que les enfants jouent aux billes?____________________

3. Est-ce que Marie saute à la corde?____________________

4. Est-ce que les enfants sautent?____________________

5. Est-ce que Charlotte est debout ou assise?____________________

SCORE ______ POINTS.

Treizième Leçon

Les enfants sont à la maison. Ils font leurs devoirs.

"Qu'est-ce que c'est que ça, Pierre?"
demande sa mère.

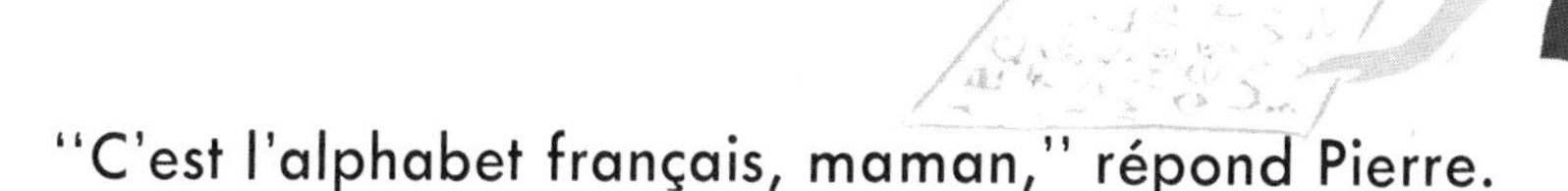

"C'est l'alphabet français, maman," répond Pierre.

"Est-ce que l'alphabet français ressemble à l'alphabet anglais?" demande sa mère. "Oui, maman, mais la prononciation des lettres est différente." Voici l'alphabet français: — A B C D E F G H I J K L M N O P Q R S T U V W X Y Z

"Quelle lettre vient après A?" demande sa mère.

"B vient après A, maman."

"Quelle lettre vient avant Z?" demande-t-elle.
"Y vient avant Z," dit Pierre.

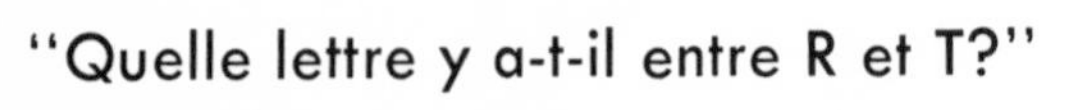

"Quelle lettre y a-t-il entre R et T?"
"S est entre R et T."

"Combien de lettres y a-t-il dans le mot 'papier'?"
"Il y a six lettres dans le mot 'papier'."

"Combien de mots y a-t-il dans la phrase, 'Le livre est rouge?' " demande la maman. "Il y a quatre mots dans cette phrase, maman," répond Pierre à sa mère. "Très bien, mon petit," dit-elle.

Suzanne dit, "Je lis, j'écris et je parle l'espagnol."
Pierre dit, "Notre professeur lit, écrit et parle bien le français."
"Dans ma classe nous lisons, nous écrivons et nous parlons l'espagnol et le français," dit Suzanne.

"Naturellement, Suzanne," répond la maman. "Les élèves en troisième sont grands. En huitième, les élèves ne sont pas grands; ils sont petits."

Suzanne prend un livre. "Quel est ce livre?" demande Pierre à Suzanne.
"C'est un livre de géographie," répond Suzanne. "C'est très intéressant."
"Voici des cartes de différents pays: La France, l'Angleterre, l'Espagne, l'Italie, le Japon, les États-Unis et beaucoup d'autres."

"Il est huit heures, mes enfants," dit la mère.
"Très bien, maman," répondent les enfants.

"Bonne nuit, mes enfants," dit la mère.
"Bonne nuit, maman," répondent les enfants.

Les enfants ferment leurs livres et vont dans leurs chambres.

300	400	500	600	700	800
Trois cents	quatre cents	cinq cents	six cents	sept cents	huit cents

900 — neuf cents
1000 — mille
365 — trois cent-soixante-cinq.

1964
Mille neuf-cent-soixante-quatre.

EXERCICE I

Circle correct words. Score 10 points for each correct answer.

Example: Suzanne lit un livre de français . . . . de chinois.

1. Pierre écrit l'alphabet . . . . des nombres.

2. Suzanne lit . . . . . écrit un livre de géographie.

3. Les petites filles dansent . . . . . parlent.

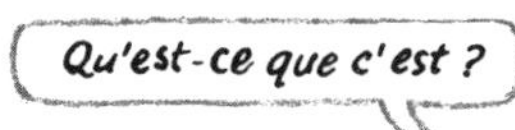

4. La maman demande . . . . . répond à Pierre.

5. Les élèves écrivent . . . . . lisent leurs livres.

SCORE ______ POINTS.

EXERCICE II

Answer in complete sentence. Score 10 for each correct answer.

Example: Que fait Paul? Il joue au tennis.

1. Que fait Suzanne? ________________________________

2. Qu'est-ce que Pierre écrit? ________________________________

3. Que demande sa mère à Pierre? ________________________________

4. Que font les élèves? ________________________________

5. Qu'est-ce que je fais? ________________________________

SCORE ______ POINTS.

EXERCICE III

Fill in missing words as indicated. Score 10 points for each correct answer.

Example: Pierre <u>écrit</u> l'alphabet.

1. Pierre ___ ___ ___ un livre.

2. Suzanne ___ ___ ___ ___ ___ des lettres.

3. Le professeur ___ ___ ___ ___ ___ ___ ___, "Comment allez-vous?"

4. Les élèves ___ ___ ___ ___ ___ ___ ___ "Très bien, merci."

5. Le professeur ___ ___ ___ ___ ___ bien la langue française.

SCORE ______ POINTS.

Quatorzième Leçon

1. Comptons. Je compte: Un, deux, trois . . . Qu'est-ce que je fais?

Vous comptez, Mademoiselle.

2. Jeannette, comptez de six à dix.

Six, sept, huit, neuf, dix.

3. À partir de quel nombre Jeannette compte-t-elle?

Elle compte à partir de six.

4. Jusqu'à quel nombre compte-t-elle?

Jusqu'à dix, Mademoiselle.

5. J'ai un crayon dans ma main droite. Est-ce qu'il y a quelque chose dans ma main droite?

Oui, Mademoiselle, il y a un crayon.

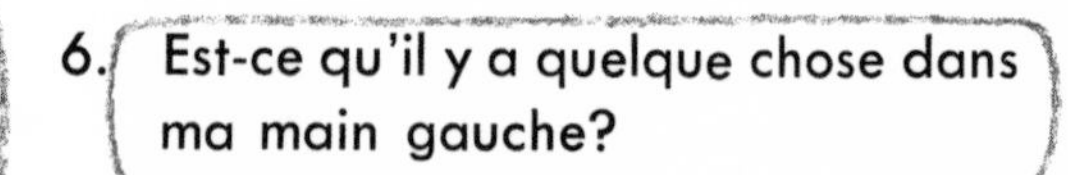

6. Est-ce qu'il y a quelque chose dans ma main gauche?

Non, Mademoiselle, il n'y a rien.

Le jeudi nous jouons avec nos amis.

Le dimanche nous allons à l'église.

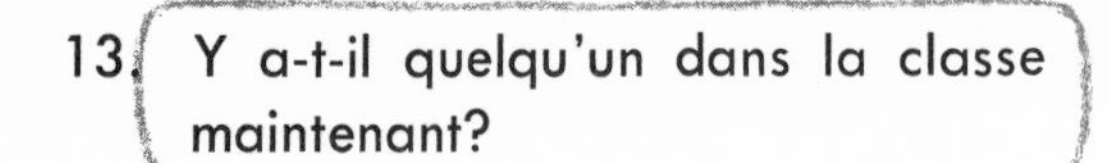

13. Y a-t-il quelqu'un dans la classe maintenant?

Oui, Mademoiselle. Il y a beaucoup d'élèves.

14. Y a-t-il quelqu'un à l'école le dimanche?

Non, Mademoiselle, le dimanche il n'y a personne.

15. Robert, combien de centimes y a-t-il dans un franc?

Cent, Mademoiselle.

16. Très bien. Maintenant, il est trois heures. La leçon est finie. Au revoir, mes enfants, à demain.

Au revoir, Mademoiselle.

EXERCICE I

Circle correct words. Score 10 points for each correct answer.

Example: Il y a huit . . . . cent centimes dans un franc.

1. Pendant la nuit les élèves sont à l'école . . . . . à la maison.

2. Les livres sont dans le garage . . . . . dans la bibliothèque.

3. À New York il y a huit mille . . . . . huit millions de personnes.

4. Les élèves vont à l'école de lundi à samedi . . . . . dimanche.

5. Sur la table il y a quelque chose . . . . . il n'y a rien.

SCORE ______ POINTS.

EXERCICE II

Write answers to questions. Score 10 points for each correct answer.

Example: Combien d'heures les élèves sont-ils à l'école chaque jour?

Ils sont à l'école six heures chaque jour.

1. Combien de personnes y a-t-il dans cette automobile? ____________

LUNDI 6 MAI	MARDI 7 MAI	MERCREDI 8 MAI	JEUDI 9 MAI	VENDREDI 10 MAI	SAMEDI 11 MAI	DIMANCHE 12 MAI

2. Combien de jours y a-t-il dans une semaine? ____________

3. Combien de centimes y a-t-il dans un franc? ____________

4. Allez-vous à l'école le jeudi? ____________

5. Où allons-nous le dimanche? ____________

SCORE ______ POINTS.

EXERCICE III

Read the following in French and fill in the correct answers.

Example: $2 + 3 = ?$ Deux et trois font cinq.

1. $2 + 2 = ?$ Deux et deux font ______________________________

2. $2 \times 2 = ?$ Deux fois deux font ______________________________

3. $8 - 3 = ?$ Huit moins trois font ______________________________

4. $20 + 10 = ?$ Vingt et dix font ______________________________

5. $5 \times 5 = ?$ Cinq fois cinq font ______________________________

6. $50 - 25 = ?$ Cinquante moins vingt-cinq font ____________________

Quinzième Leçon

La famille est dans la salle à manger.

Sur la table il y a des assiettes, des verres, des tasses, des couteaux, des fourchettes et des cuillères.
Il y a aussi du pain, du beurre, du sel et du poivre.

Le dîner est très bon. Les enfants mangent la soupe avec de grandes cuillères.

Leur mère met un poulet rôti sur la table.

Leur père coupe la viande avec un grand couteau.

Il met un morceau de poulet dans l'assiette de sa femme, de Suzanne, de Paulette et de Pierre. "Merci bien, papa!" lui disent les enfants.

"Quels légumes avons-nous?" demande-t-il à sa femme.
"Nous avons des pommes de terre et des petits pois," lui répond la mère.

Elle met des plats de légumes sur la table

et les enfants prennent un peu de chaque légume.
"Quel bon dîner!" dit Paulette. "J'aime beaucoup les petits pois."

"J'aime tous les légumes," dit la maman. "Les haricots verts, les petits pois, les asperges, les choux, les choux-fleurs, les épinards, les carottes, les tomates, les laitues, les oignons. Tous les légumes sont bons."

"Moi, j'aime bien la viande," dit Pierre. "J'aime les côtelettes d'agneau, la dinde, le jambon, le bifteck et le rôti. Mais je n'aime pas le poisson."

"J'aime beaucoup le riz et aussi le pain avec du beurre et du miel," dit Suzanne.

Le père leur dit, "Ne parlez pas, mes enfants. Mangez!" Maintenant la mère met une corbeille de fruits sur la table.

Les enfants regardent les fruits. Il y a des pommes, des poires, des raisins, des fraises, des pêches, des bananes, des oranges, des cerises et un ananas. Toute la famille mange des fruits.

Après les fruits la mère prend du thé au citron.
Le père prend du café avec du sucre et du lait.
Les enfants ne prennent pas de café. Ils boivent du lait.

"Quel bon dîner!" disent les enfants à leurs parents.
Leur père leur dit, "Oui, mes enfants. Votre maman est très bonne cuisinière."

EXERCICE I

Circle correct words. Score 10 points for each correct answer.

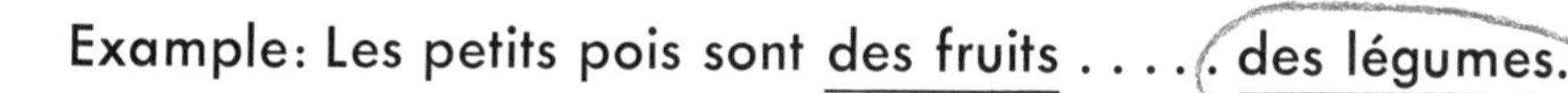

Example: Les petits pois sont des fruits . . . . . des légumes.

1. Les carottes sont des légumes . . . . . des fruits.

2. Le père coupe la viande avec un verre . . . . . un couteau.

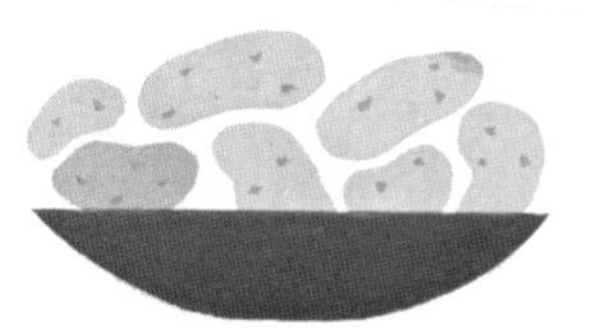

3. Les légumes sont sur deux plats . . . . . dans deux tasses.

4. L'ananas est un fruit . . . . . une viande.

5. Le jambon est un légume . . . . . une viande.

SCORE ______ POINTS.

EXERCICE II

Fill in missing words, in indicated spaces. Score 10 points for each correct answer.

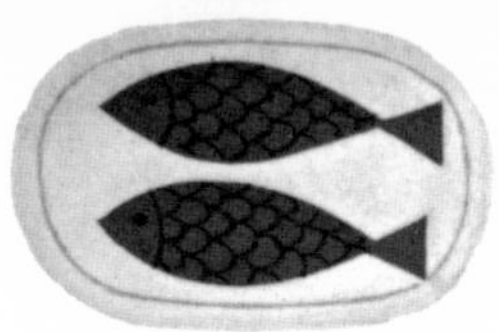

Example: Les enfants mangent du poulet. Ils ne mangent pas de poisson.

1. Je bois du lait. Je __ _____ ____ de café.

2. Joseph aime les fruits. Il _ '_____ ____ les légumes.

3. Toute la famille ______ des fruits.

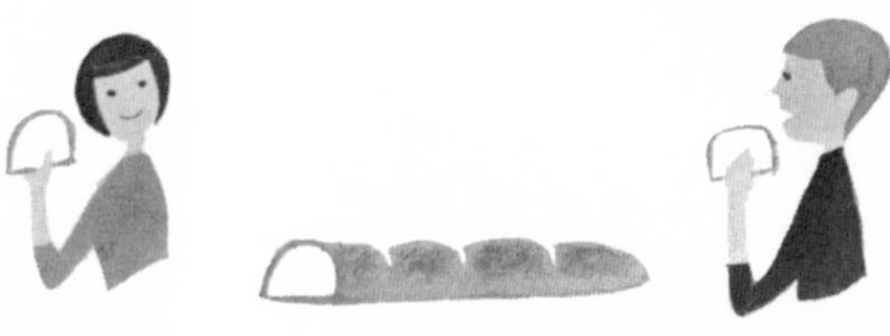

4. Les enfants ________ du pain.

5. Les enfants ___________ la télévision.

SCORE _____ POINTS.

EXERCICE III

Fill in lui or leur for underlined expressions and place them in proper place in each sentence.

Example: La petite fille dit à sa mère, "Quel bon dîner!" Elle lui dit, "Quel bon dîner!"

1. Le père dit aux enfants, "Ne parlez pas." Il _ _ _ _ dit, "Ne parlez pas!"

2. Les enfants disent à leur père, "Merci bien." Ils _ _ _ disent, "Merci bien."

(Now fill in other missing words.)

3. Que dit le professeur aux enfants? Il _ _ _ _
dit, "_ _ _ _ _ _ _ _ _."

4. Que répondent les enfants au professeur? Ils _ _ _ répondent,
"_ _ _ _ _ _ _ _ _."

 SCORE _____ POINTS.

Seizième Leçon

C'est l'anniversaire de Paulette. Elle invite ses amis à une petite fête.

1. Marie et Edouard sont à la porte. Paulette l'ouvre.

2. Edouard donne un cadeau à Paulette.

3. Marie lui donne aussi un cadeau.

4.

Allons voir les autres.
Très bien!
Avec plaisir!

5. Suzanne joue du piano et Joseph de la guitare. La musique plaît beaucoup aux invités.

6. Les enfants chantent: "Frère Jacques, Frère Jacques, Dormez-vous? Dormez-vous?"

7. La mère de Paulette parle aux enfants. Elle leur dit, "Nous allons jouer à colin-maillard."

8. La maman couvre les yeux de Georges avec le mouchoir.

9. Georges court par-ci et par-là . . . mais il n'attrape personne.

10. Finalement, Georges attrape quelqu'un. Qui est-ce?

11. Maintenant les enfants vont dans la salle à manger où il y a beaucoup de bonnes choses. Paulette coupe le gâteau d'anniversaire. Les enfants lui chantent une chanson.

12. À cinq heures les enfants lui disent au revoir.

EXERCICE I

Circle correct words. Score 10 points for each correct answer.

Example: Edouard donne (un cadeau) . . . . un piano à Paulette.

1. Les enfants chantent . . . . . dansent.

2. Le cadeau est très joli . . . . . laid.

3. Paulette coupe le gâteau d'anniversaire . . . . . une orange.

4. Joseph joue du piano . . . . . de la guitare.

5. La mère couvre les yeux . . . . . la bouche de Georges.

SCORE ______ POINTS.

EXERCICE II

Answer questions. Score 10 points for each correct answer.

Example: Que fait Paulette? Elle coupe le gâteau.

1. Que fait Paulette? ______________________

2. Qu'est-ce qu'Edouard donne à Paulette? ______________________

3. Qu'est-ce que les enfants chantent à Paulette? ______________________

4. Qu'est-ce qu'il y a sur la table? ______________________

5. A quelle heure les enfants disent-ils "Au revoir" à Paulette? ______________________

SCORE ______ POINTS.

EXERCICE III

Fill in missing words to tell the story of the birthday celebration.

1. Paulette _ _ _ _ _ une petite fête à _ _ _ amies.
2. Marie et Edouard _ _ _ _ chez Paulette.
3. Edouard donne _ _ _ _ _ _ _ _ _ _ _ _ à Paulette.
   C'est un _ _ _ _ _ cadeau.
4. Suzanne joue _ _ _ _ _ _ _ et Joseph joue _ _ _ _
   _ _ _ _ _ _ _.
5. Les invités _ _ _ _ _ _ _ _, "Frère Jacques."
6. La maman de Jacqueline _ _ _ _ _ _ les yeux de Georges.
7. Elle les couvre avec _ _ _ _ _ _ _ _ _ _.
8. Georges ne _ _ _ _ rien.
9. Finalement, Georges _ _ _ _ _ _ _ Paulette.
10. Après ça, les enfants _ _ _ _ à la table.
11. Sur la table _ _ _ _ beaucoup de bonnes choses.
12. Jacqueline _ _ _ _ _ le gâteau.
13. Les enfants chantent, "_ _ _ _ _ _ _ _ _ _ _ _ _ _ _."
14. À 5 heures les enfants _ _ _ _ _ _ au revoir à Paulette.
15. Paulette leur _ _ _, "Au revoir. Vous êtes bien gentils."

SCORE ______ POINTS.

EXPLANATORY NOTES AND KEY TO EXERCISES

Lesson 1

1. For English equivalent of all vocabulary and approximate pronunciation, see dictionary section in the back pages of this book.
2. *Un* means "one" and also "a." It is, therefore, both a numeral and an indefinite article. All French nouns are masculine or feminine. *Un* is the masculine indefinite article; *une* is the feminine. Remember to take special care with the pronunciation of *un* and *une*, to specify whether the noun is masculine or feminine.
3. In the phonetics of the dictionary section of this book, the French *u* sound is expressed by "ew." Next to imitating a French person, the best way to reproduce this sound is to purse the lips and say "ee."
4. *Maison, train,* and *chien* have a nasal sound. This sound is represented in the dictionary section by "-hng." For practice, hold your nose while saying these words with nasal sounds.
5. *C'est* means "it is," "this is," or "that is." *Ce* is "this," and *est* is "is," but when they are written together, one "e" is dropped.
6. The word "not" is expressed by "*ne . . . . . pas*" with the verb between the *ne* and the *pas*. Before a vowel, *n'* is used instead of *ne*.
7. The French written accents ´, ` and ^, as well as the ç, should be explained here only as part of the correct *spelling* of the words. In this lesson, only the ` is encountered, but as the others appear in future lessons, the teacher should emphasize the sharp sound of the ´ and show how the ¸ softens the *c* when used. The ^ is simply the vestige of an *s* which has disappeared through the years. For example, *fenêtre* used to be spelled *fenestre*.

EXERCISE CONTENT

Exercise I: Drills on choosing the indicated noun with gender attached.

Exercise II: Drills the student on answering questions with *c'est*.

Exercise III: Drills on remembering the noun with the indefinite article indicating gender.

Key to exercise I: 1. C'est une balle. 2. C'est une maison. 3. C'est un chien. 4. C'est une bicyclette. 5. C'est un train.

Key to exercise II: 1. C'est un chien. 2. C'est une maison. 3. C'est un livre. 4. C'est un chat. 5. Oui, c'est une bicyclette.

Key to exercise III: 1. C'est un chat. 2. C'est une maison. 3. C'est une bicyclette. 4. C'est un chien. 5. C'est un livre.

Lesson 2

1. Before each lesson, the teacher should have a short review of each preceding lesson as well as practice in greetings, counting, identification of objects, etc.
2. With the introduction of many new masculine and feminine nouns, it should be pointed out that the gender has little to do with the object itself, but is simply a peculiarity of French.
3. The French "j" is always pronounced like the "s" in "leisure" or "pleasure." This has been expressed in the phonetics of the dictionary section by "zh."
4. A general helpful hint is that the final letter of French words is rarely pronounced. Such final silent letters can be checked in the phonetics of the dictionary section.

EXERCISE CONTENT

Exercise I: Differentiation between masculine and feminine articles.

Exercise II: Drill in answering questions with *c'est, ce n'est pas.*

Exercise III: Identification of noun and article with dashes indicating number of letters in words.

Key to exercise I: 1. un gant. 2. un pantalon. 3. un chapeau. 4. un veston. 5. une ceinture.

Key to exercise II: 1. C'est un chapeau. 2. C'est une chaussure. 3. Non, ce n'est pas un chapeau, c'est une ceinture. 4. Non, ce n'est pas une chemise, c'est un pantalon. 5. Non, ce n'est pas un pantalon, c'est un chapeau.

Key to exercise III: 1. un chapeau. 2. une robe. 3. une chaussure. 4. une ceinture. 5. une chemise.

Lesson 3

1. The direct article "the" — *le* for masculine and *la* for feminine — is introduced in this lesson. When a noun starts with a vowel, *le* or *la* becomes shortened to *l'*, as in *l'arbre* and *l'automobile.*
2. Adjectives, such as the colors given here, usually have a masculine and feminine form, which must be used according to the masculine or feminine gender of the noun. Normally, the feminine form is made by the addition of a final "*e*" to the masculine and is reflected in pronunciation. Example: *vert* (m.) *verte* (f.) However, when an adjective already terminates in *e* in its masculine form, masculine and feminine are alike. Example: *jaune* (m.) *jaune* (f.).

3. Remember that French words are stressed on the last syllable. Examples: *casquette, couleur, maison,* etc.
4. Note that the question form, "*Est-ce que . . .?*" literally means "Is it that . . .?"

EXERCISE CONTENT

Exercise I: Association of color adjectives directly with nouns.

Exercise II: Colors used predicatively.

Exercise III: Filling in nouns and adjectives according to letter spaces.

Key to exercise I: 1. l'automobile verte. 2. l'arbre vert. 3. la bicyclette noire. 4. le chien gris. 5. le ballon rouge.

Key to exercise II: 1. L'autobus est vert. 2. Le téléphone est noir. 3. L'arbre est vert. 4. Le chat est blanc. 5. Le chien est gris.

Key to exercise III: 1. L'arbre est vert. 2. La rose est rouge. 3. L'autobus est vert. 4. Le téléphone est noir. 5. L'automobile est rouge.

Lesson 4

1. Teacher should use objects previously discussed in the classroom, as well as students, to illustrate *grand* and *petit.*
2. Masculine and feminine forms of adjectives, other than those of color, are presented not only as vocabulary but also for additional practice in associating gender of adjectives with nouns.
3. *De* — "of" — is introduced here with proper names as a simple preposition denoting the genitive. Additional practice should be given using the names of class members' possessions with adjectives in this lesson, as well as adjectives of color. French versions of students' names should be used when possible.
4. The simple comparative form of adjectives is presented here. It is always formed by *plus que* with the adjective between *plus* and *que.* The comparatives of *grand* and *petit, long* and *court* should be practiced with other nouns known to the students.
5. Just as *le* and *la* become shortened to *l'* before a word beginning with a vowel, *que* and *de* also drop the *e* in such cases. Note how this is done with the use of *que* and *de* with Albert in this lesson.

EXERCISE CONTENT

Exercise I: Answering with correct choice from two indicated adjectives.

Exercise II: Choice of correct adjective to go with picture.

Exercise III: Fill in sentences with indicated dashes for letters for practice in comparative form of adjectives.

Key to exercise I: 1. grand. 2. petite. 3. long. 4. courte. 5. longue.

Key to exercise II: 1. L'homme est grand. 2. La souris est petite. 3. Le bébé est petit. 4. Le pantalon d'Albert est long. 5. La jupe de Suzette est courte.

Key to exercise III: 1. plus (grand) que. 2. grande. 3. plus (petite) que. 4. petit. 5. plus (courte) que.

Lesson 5

1. Adjectives of nationality are written with small letters.
2. "He" and "she" are translated by *il* and *elle*. "They," if referring to a group of boys or men, is *ils*. *Elles* refers to a group of girls or women. If "they" refers to a mixed group of males and females, the masculine *ils* is used, even if there is only one male in the group.
3. Note that "little boy" is *petit garçon* and "little girl" is *petite fille*. *Enfant*, the general word for "child," is either masculine *(enfant)* or feminine *(enfante)* according to the sex of the child.
4. Note that the plural of nouns is usually indicated by *s*. Most adjectives when they refer to plural nouns must also have a final *s*.
5. Positive and negative forms of *être* in singular and plural should be well drilled:

je suis	*je ne suis pas*
vous êtes	*vous n'êtes pas*
Il (elle) est	*il (elle) n'est pas*
nous sommes	*nous ne sommes pas*
ils (elles) sont	*ils (elles) ne sont pas*

6. The last question in the lesson offers an easy review of the colors learned in Lesson 3.
7. Note that *ce* means "this" or "that." *Ce* is the masculine form (spelled *cet* when the next word begins with a vowel), and *cette* is the feminine form. Ces stands for "these" or "those" and has the same form for masculine and feminine.
8. Observe liaison in this lesson such as the sounding of the final *t* in *est* (in the question: *est-il (eh-teel)*. Liaison usually occurs when one word ends in a consonant and the following word begins with a vowel or the silent *h*.

EXERCISE CONTENT

Exercise I: Practice in selection of adjectives of nationality and use of subject pronouns with adjectives.

Exercise II: Practice in the use of adjectives of nationality with masculine, feminine, and plural forms.

Exercise III: Present tense conjugation of *être.*

Key to exercise I: 1. espagnol. 2. allemand. 3. chinoise. 4. russe. 5. américains.

Key to exercise II: 1. Non, elle n'est pas française, elle est chinoise. 2. Oui, il est allemand. 3. Non, elle n'est pas française, elle est russe. 4. Oui, ils sont français. 5. Oui, nous sommes américains.

Key to exercise III: 1. Non, Robert n'est pas le professeur, il est un élève. 2. Je ne suis pas le professeur, je suis un élève. 3. Nous sommes américains. 4. Non, ils ne sont pas grands, ils sont petits. 5. Elles sont petites.

Lesson 6

1. The possessive adjective always follows, in the singular, the gender of the object possessed. The plural form is one and the same for both genders. Note meanings and forms of possessive adjectives contained in this lesson:

	masculine	feminine	plural
my	*mon*	*ma*	*mes*
your	*votre*	*votre*	*vos*
his or her	*son*	*sa*	*ses*
our	*notre*	*notre*	*nos*
their	*leur*	*leur*	*leurs*

   Remember that, for purposes of euphony, *sa* becomes *son* before a vowel, as in the case of "his automobile" — *son automobile.*

2. The possessive "whose" as in the sentence "Whose book is this?" is always expressed by *à qui.* The simple interrogative *qui,* meaning "who" should also be reviewed and drilled to establish the difference between *à qui* and *qui.*

3. Note that the plural of *c'est* is *ce sont.* Example: *C'est le livre.* — "This is the book." *Ce sont les livres.* — "These are the books."

EXERCISE CONTENT

Exercise I: Filling in possessive adjectives in spaces indicated.

Exercise II: Selecting proper form of possessive adjective.

Exercise III: Practice in negative construction with *c'est* and *ce sont.*

Key to exercise I: 1. son. 2. ses. 3. son. 4. son. 5. leur.

Key to exercise II: Oui, c'est ma bicyclette. 2. Oui, c'est son chapeau. 3. Oui, c'est sa bicyclette. 4. Oui, c'est leur maison. 5. C'est le ballon de Rose.

Key to exercise III: 1. Ce n'est pas. . . . 2. Ce ne sont pas. . . . 3. Ce n'est pas. . . . 4. Ce n'est pas. . . . 5. Ce ne sont pas. . . .

Lesson 7

1. *Voici* — "here is" or "here are" — and *voilà* — "there is" or "there are" — are among the most frequently used French words. *Voilà* is often used for things or people that are "over there," and *voici* for things or people that are near.
2. Note the difference of a written accent: *ou* — "or" — and *où* — "where."
3. Note that *assis* has a feminine form (*assise*), although *debout* is the same for masculine or feminine.
4. Although the teacher here is a lady, she is still called *le professeur* as *professeur* refers to the function, not the gender.
5. *De* — "of" — is combined with the definite article in the following ways:

   de + *le* is *du*
   de + *les* is *des*

   De does not combine with *la*, however, and they remain two separate words.
6. In Frame 20, we see *des* used as the plural of *un*:

   Example: *un élève intelligent* — "an intelligent student"
   des élèves intelligents — "some intelligent students"
7. Teacher should emphasize that there are two ways of asking simple questions. For example: *Est-ce que Lucille est assise?* — or — *Lucille est-elle assise?*

EXERCISE CONTENT

Exercise I: Choice of answers for comprehension of prepositions.

Exercise II: Fill in answers using correct pronouns and prepositions.

Exercise III: Answering questions with simple conjugations of *être*.

Key to exercise I: 1. dans l'autobus. 2. en classe. 3. au-dessus du tableau. 4. dans la boîte. 5. assis.

Key to exercise II: Il est à l'école. 2. Oui, elle est debout. 3. Non, ils ne sont pas debout, ils sont assis. 4. Il est sur la table. 5. Elle est sous la table.

Key to exercise III: Oui, vous êtes en classe. 2. Non, je ne suis pas à la maison, je suis en classe. 3. Non, il n'est pas dans le train, il est à l'école. 4. Ils sont dans l'automobile. 5. Non, nous ne sommes pas dans l'autobus, nous sommes en classe.

Lesson 8

1. Note the plural formed by *x*, as in *les cheveux* and *les yeux*. This usually occurs in words ending in *eu, au, ou* or *al*, the latter changing to *aux* as in *cheval* — horse, *chevaux* — horses.
2. Remember the present conjugation of *avoir* in its affirmative and negative forms.

"I have" — *j'ai*	"I have not" — *je n'ai pas*
"you have" — *vous avez*	"you have not" — *vous n'avez pas*
"he, she, it has" — *il (elle) a*	"he, she, it has not" — *il (elle) n'a pas*
"we have" — *nous avons*	"we have not" — *nous n'avons pas*
"they have" — *ils (elles) ont*	"they have not" — *ils (elles) n'ont pas*

3. *Combien* is followed by *de* when used to ask about the number of objects. Example: *Combien de crayons . . . ?* — "How many pencils . . . ?"
4. With the introduction of *avoir*, many additional questions can be asked in conjunction with vocabulary already familiar to the students from former lessons.

EXERCISE CONTENT

Exercise I: Review of parts of the body through selection of correct answers.

Exercise II: Requirement of complete answers to questions using forms of *avoir*.

Exercise III: Exercise in comprehension combined with verb *avoir*.

Key to exercise I: 1. courts. 2. les cheveux blonds. 3. une tête. 4. dix doigts. 5. les yeux noirs.

Key to exercise II: 1. Ils sont blonds. 2. Non, elle n'a pas les cheveux verts. Elle a les cheveux noirs. 3. Il a deux mains. 4. Non, elles n'ont pas les cheveux courts. Elles ont les cheveux longs. 5. Non, vous n'avez pas les cheveux longs. Vous avez les cheveux courts.

Key to exercise III: 1. Oui, vous avez les yeux noirs. 2. Nous avons deux oreilles. 3. Non, il n'a pas onze doigts, il a dix doigts. 4. Ils n'ont pas les cheveux longs, ils ont les cheveux courts. 5. Vous avez les cheveux noirs.

Lesson 9

1. Note following important words: *chez* — this word being the equivalent of "at the house of" or "at the home of." *Comme* — meaning "like" or "as" and also "how" in exclamations like those in Frame 4.
2. Note that *âge* to express the number of years is always preceded by a form of *avoir*. Students should be drilled to say their own ages and the ages of other children in their families.

3. The partitive construction is introduced here in Frame 9. The partitive form uses *de* combined with the definite article. It generally means "some" or "any" if used in a question. The grandmother in Frame 9 asks literally, "Is it that my granddaughters take any music lessons?" A noun is normally preceded by either a definite or indefinite article, or by the partitive.
4. Note this normal use of *de* in "a basket 'of' apples," in Frame 14. *De* can, of course, also mean "of." Examples: *Une corbeille de fruits; un verre de vin.*
5. The superlative is introduced in Frame 15 with "the biggest" and "the smallest" apple. Comparisons should be practiced using sizes of other objects in sets of three.
6. Note that *beaucoup* is followed by a simple *de* — *beaucoup de fleurs* (Frame 17).
7. *Maman* is another and somewhat more familiar way of saying *mère* (mother) as is *père* for father. For children, these forms are interchangeable.

EXERCISE CONTENT

Exercise I: Choice of answer to establish vocabulary of family relationships.

Exercise II: Composition of sentences using family relationships and possessive pronouns.

Exercise III: Present tense drill on *prendre* through sentence formation.

Key to exercise I: 1. la soeur. 2. la mère. 3. le père. 4. le frère. 5. le fils.

Key to exercise II: 1. C'est Madame Lamare. 2. Oui, c'est sa mère. 3. C'est Monsieur Dupont. 4. Oui, c'est leur grand-père. 5. Oui, c'est son père.

Key to exercise III: 1. Les enfants prennent des pommes. 2. Pierre prend un chapeau. 3. Non, elle prend une leçon de piano. 4. Nous prenons une leçon de français. 5. Oui, vous prenez une pomme.

Lesson 10

1. Note the construction *il y a* which means "there is" or "there are." The interrogative form is *y a-t-il* and the negative *il n'y a pas (de).*
2. Five important new verbs are introduced here: *ouvrir, entrer, fermer, faire,* and *mettre.* Examples of their forms with respective subject pronouns are as follows:

j'ouvre	*j'entre*	*je ferme*
vous ouvrez	*vous entrez*	*vous fermez*
il (elle) ouvre	*il (elle) entre*	*il (elle) ferme*

nous ouvrons	*nous entrons*	*nous fermons*
ils (elles) ouvrent	*ils (elles) entrent*	*ils (elles) ferment*

je fais	*je mets*
vous faîtes	*vous mettez*
il (elle) fait	*il (elle) met*
nous faisons	*nous mettons*
ils (elles) font	*ils (elles) mettent*

3. In addition to questions based on the pictures, the teacher should drill these verbs in the classroom using the question-and-answer technique and demonstrating the imperative form, which is the same as the form used with *vous* but without the *vous.*, i.e., *ouvrez la porte*, *fermez le livre*, etc.
4. For asking questions formed by *faire* as in *Que faisons-nous?* etc., the instructor should show that *qu'est-ce que* and *que* are the same except for word order. Ex.: *Que fait Pierre? Qu'est-ce que Pierre fait?*

EXERCISE CONTENT

Exercise I: Selection of correct words using vocabulary related to household.

Exercise II: Formation of answers with correct form of verb (with verb indicated in question.)

Exercise III: Composition of answers to questions formed with *faire.*

Key to exercise I: 1. deux arbres. 2. devant la maison. 3. dans le salon. 4. sur le canapé. 5. la télévision.

Key to exercise II: 1. Oui, vous mettez votre chapeau sur la chaise. 2. Elle prend une pomme. 3. Oui, Pierre ouvre la porte. 4. Oui, nous fermons la fenêtre. 5. Oui, ils entrent dans l'école.

Key to exercise III: 1. Il ouvre la porte. 2. Ils entrent dans la classe. 3. Elles ferment la fenêtre. 4. Elle met son manteau sur la chaise. 5. Elle prend une pomme.

Lesson 11

1. Note new verbs presented in this lesson:

	aller	*venir*	*sortir*	*nager*	*descendre*	*monter*	*dire*
je	*vais*	*viens*	*sors*	*nage*	*descends*	*monte*	*dis*
vous	*allez*	*venez*	*sortez*	*nagez*	*descendez*	*montez*	*dites*
il (elle)	*va*	*vient*	*sort*	*nage*	*descend*	*monte*	*dit*
nous	*allons*	*venons*	*sortons*	*nageons*	*descendons*	*montons*	*disons*
ils (elles)	*vont*	*viennent*	*sortent*	*nagent*	*descendent*	*montent*	*disent*

It should be pointed out that *regarder* is conjugated exactly like *monter;* this will establish the concept of verb groups.

In addition to practicing these verbs with the picture content, students should actively participate in classroom practice using their own actions and actions of the other students.

2. *A* is used in this lesson in its different meanings — "to," "in," and "on."
   A is combined with the definite article in the following way:

   à + *le* is *au*
   à + *les* is *aux*

   When *à* is combined with *la,* there is no contraction.

3. After *avec,* the subject pronouns *je, il,* and *ils* are modified as follows:

   je becomes *moi*
   il becomes *lui*
   ils becomes *eux*

   Nous and *vous, elle* and *elles* do not change.

4. With the ability to tell time, students should be asked what time they come to school, what time they go home, etc.

5. Note use of *avoir* in *avoir froid* and *avoir chaud* — "to be cold" and "to be hot" — for persons, and the use of *être* as in *L'eau est froide* — "The water is cold."

EXERCISE CONTENT

Exercise I: Choice of correct words using new vocabulary.

Exercise II: Constructions of answers to questions using new vocabulary.

Exercise III: Answers to simple questions using correct forms of new verbs.

Key to exercise I: 1. près. 2. laid. 3. dans l'eau. 4. de la piscine. 5. au jardin zoologique.

Key to exercise II: 1. Oui, il est près de l'école. 2. Ils vont au jardin zoologique. 3. Ils regardent les lions, les tigres, et les éléphants. 4. Non, elle ne va pas à la plage, elle va au cinéma. 5. Non, Jacques n'a pas chaud, il a froid.

Key to exercise III: 1. Oui, il va au cinéma. 2. Non, elle ne descend pas de l'autobus, elle monte dans l'autobus. 3. Ce sont des serpents et des poissons. 4. Oui, il nage dans la piscine. 5. Oui, il sort de la piscine.

Lesson 12

1. In French, one does not "play tennis"; one "plays at the tennis" — *jouer au*

tennis. One does not "jump rope"; one "jumps at the rope" — *sauter à la corde.* Prepositions must always be used in references to game-playing.

2. New verbs in this lesson are *jouer, danser, sauter, courir.* Inasmuch as three of these verbs are regular first conjugation verbs, this is a good time to show students that all — except *courir* — are conjugated in the same way. Observe that the first conjugation has an infinitive ending in *-er.*
3. From this point on, questions asked by the teacher should vary between the inverted form, such as: *Pierre joue-t-il au tennis?* and the *est-ce que* form: *Est-ce que Pierre joue au tennis?*

EXERCISE CONTENT

Exercise I: Selection of correct answers, using vocabulary of children's games.

Exercise II: Comprehension questions with new verbs, using inverted order.

Exercise III: Practice on new verbs through answering questions asked with *est-ce que* construction.

Key to exercise I: 1. saute à la corde. 2. une toupie. 3. aux billes. 4. dans le parc. 5. jouent au tennis.

Key to exercise II: 1. Les enfants sont dans le parc. 2. Non, elles ne jouent pas au football. 3. Non, elle ne danse pas, elle est assise. 4. Oui, ils jouent au tennis. 5. Ils ont une toupie.

Key to exercise III: 1. Oui, elles dansent. 2. Non, ils ne jouent pas aux billes, ils jouent au tennis. 3. Oui, elle saute à la corde. 4. Oui, ils sautent. 5. Elle est assise.

Lesson 13

1. With this lesson, students should take turns reciting sections of the French alphabet. Approximate pronunciations of the French letters are as follows:

A	B	C	D	E	F	G	H	I	J	K	L	M	N	O	P
ah	bay	say	day	uh	eff	zhay	ahsh	ee	zhee	kah	ell	em	en	oh	pay

Q	R	S	T	U	V	W	X	Y	Z
kew	air	ess	tay	ew	vay	doo-bluh-vay	eeks	ee-greck	zed

2. Students should also be asked questions using *avant, après,* and *entre* regarding positions of letters in the alphabet.
3. New verbs in this lesson are *écrire, lire, demander, répondre,* and *parler.*

je (j')	*parle*	*réponds*	*écris*	*lis*
vous	*parlez*	*répondez*	*écrivez*	*lisez*

il (elle)	*parle*	*répond*	*écrit*	*lit*
nous	*parlons*	*répondons*	*écrivons*	*lisons*
ils (elles)	*parlent*	*répondent*	*écrivent*	*lisent*

Note that *je* becomes *j'* in *j'écris.*

Observe that *demander* and *parler* follow the same first conjugation pattern explained in Lesson 12.

Students should ask questions of other students, i.e., "Marie, demandez à Pierre, 'Quelle est la première lettre de l'alphabet?' ", etc.

EXERCISE CONTENT

Exercise I: Choice of correct words for recognition of new vocabulary.

Exercise II: Construction of simple answers to questions, using new verbs.

Exercise III: Filling in of correct form of verbs in indicated spaces.

Key to exercise I: 1. des nombres. 2. lit. 3. parlent. 4. demande. 5. lisent.

Key to exercise II: 1. Elle lit le livre. 2. Il écrit l'alphabet. 3. Elle demande, "Qu'est-ce que c'est?" 4. Ils écrivent. 5. Vous lisez.

Key to exercise III: 1. lit. 2. écrit. 3. demande. 4. parlent. 5. parle.

Lesson 14

1. Note present conjugation of *savoir:*

   je sais
   vous savez
   il (elle) sait
   nous savons
   ils (elles) savent

   Compter follows the first conjugation pattern which was presented in Lesson II:

   je compte
   vous comptez
   il (elle) compte
   nous comptons
   ils (elles) comptent

2. Drill the use of the double negative with the verb coming between as in the following expressions:
   "There is nothing." — *Il n'y a rien.*
   "I have nothing." — *Je n'ai rien.*

"There is nobody." — *Il n'y a personne.*
"He isn't looking at anybody." — *Il ne regarde personne.*

3. Note use of disjunctive *moi* in Frame 8 to lend emphasis.
4. Observe that the article is used when specifying a certain day:
   "on Sunday" — *le dimanche.*
5. Note difference in use of *en* and *dans,* both of which mean "in."
   Ex: *en classe* — "in class," *dans la main* — "in the hand."
6. Students should be drilled in counting and then in stating from what number to what number they count. In addition, they should be drilled in simple arithmetical problems using the following form:

   $2 + 2 = 4$ *deux et deux font quatre*
   $6 - 2 = 4$ *six moins deux font quatre*
   $2 \times 4 = 8$ *deux fois quatre font huit*

   Questions should be asked as follows: *Combien font deux et deux?*

EXERCISE CONTENT

Exercise I: Choice of correct word to prove comprehension of new vocabulary.

Exercise II: Sentence formation.

Exercise III: Expressing simple arithmetical problems in French.

Key to exercise I: 1. à la maison. 2. dans la bibliothèque. 3. huit millions. 4. samedi. 5. il n'y a rien.

Key to exercise II: 1. Il y a quatre personnes dans cette automobile. 2. Il y a sept jours dans une semaine. 3. Il y a cent centimes dans un franc. 4. Non, nous n'allons pas à l'école le jeudi. 5. Le dimanche nous allons à l'église.

Key to exercise III: 1. Deux et deux font quatre. 2. Deux fois deux font quatre. 3. Huit moins trois font cinq. 4. Vingt et dix font trente. 5. Cinq fois cinq font vingt-cinq. 6. Cinquante moins vingt-cinq font vingt-cinq.

Lesson 15

1. Nouns are preceded by a definite or indefinite article. For example, in French, one does not say just "coffee," but "*the* coffee" *(le café)*, "*some* coffee" *(du café)*, or, in the negative, "*not any* coffee" *(pas de café)*.

2. *Lui* and *leur* appear here used as *indirect* object pronouns. It is sufficient here to show that *lui* is a substitution for such longer expressions as *à la mère, au père, au bébé*, etc., and, therefore, means "to him," "to her," "to it." *Leur* is simply the plural of *lui* and means "to them." *Leur* also means "their," but this just makes one word less to learn.

   Lui and *leur* should be practiced in class using the imperative of *dire*, in such sentences as, "Tell your name to Jeanne" — *Dites votre nom à Jeanne*, etc. Remember that *lui* and *leur* come before the verb in declarative sentences and after the verb in commands.

3. New verbs in this lesson are conjugated as follows *(elle* and *elles* are omitted, as they use the same verb forms as *il* and *ils)*:

aimer (to like or to love)	*boire* (to drink)	*manger* (to eat)
j'aime	*je bois*	*je mange*
vous aimez	*vous buvez*	*vous mangez*
il aime	*il boit*	*il mange*
nous aimons	*nous buvons*	*nous mangeons*
ils aiment	*ils boivent*	*ils mangent*

   Couper (to cut) is conjugated like *aimer*.

4. Note how the word *cuisinière* (cook) is derived from *cuisine* (kitchen), which has already been identified in Lesson 10.

5. The *t* inserted in the question ending with *demande-t-il*, is put there purely for euphony, and is pronounced approximately *duh-mahn-deh-teel*.

6. The negative form of the imperative is simply the form of the verb that goes with *vous* preceded by *ne* and followed by *pas*. Example: "Don't go out" — *Ne sortez pas*.

EXERCISE CONTENT

Exercise I: Identification of new vocabulary.

Exercise II: Filling in proper forms of verbs.

Exercise III: Drill in use of *lui* and *leur*.

Key to exercise I: 1. des légumes. 2. un couteau. 3. sur deux plats. 4. un fruit. 5. une viande.

Key to exercise II: 1. ne bois pas. 2. n'aime pas. 3. mange. 4. mangent. 5. regardent.

Key to exercise III: 1. leur. 2. lui. 3. leur "Au revoir." 4. lui "Au revoir."

Lesson 16

1. The familiar form *tu* is introduced here as a logical place for it to be used, i.e. when children speak to each other. The teacher should explain to students that *tu* means "you" the same as *vous. Tu* is used when a child speaks to another child, when members of a family or very close friends address each other directly, or when speaking to animals. Naturally, when a child speaks to several other children he uses the form *vous* because *vous* is the regular plural form in any case.
2. As *tu* has not been introduced up to now, the instructor should go back to the other verbs and show how the *tu* form fits in to the verb forms studied in previous lessons. At this point, the standard conjugation plan of all verbs should be presented. For example, *être* and *avoir:*

je suis	*nous sommes*	*j'ai*	*nous avons*
tu es	*vous êtes*	*tu as*	*vous avez*
il est	*ils sont*	*il a*	*ils ont*

   As the *tu* form has now been added to the list of persons, and its use explained, future verbs given in the notes will be conjugated in this manner.

   The instructor should point out that the *tu* form for the other verbs studied up to now is generally the same as the *je* form with the addition of a mute *s* if the form for *je* does not already have an *s*. There is, therefore, no difference in sound. Examples: *tu chantes, tu regardes, tu réponds, tu écris, tu sais,* etc.
3. The direct object pronoun appears in Frame 5. *Le* or *la* mean "it" when used as direct object. Example: *Nous le savons.* — "We know it." *Le* and *la* also mean "him" or "her" in the same construction and *les* means "them."
4. In Frame 7, the infinitive is used with a preposition and also with another verb — *Nous allons jouer à colin maillard* corresponds exactly to the English "We are going to play colin maillard," and *pour couvrir les yeux* to "in order to cover the eyes," or "for covering the eyes."
4. The verb *voir* — "to see" is conjugated as follows:

je vois	*vous voyons*
tu vois	*vous voyez*
il voit	*ils voient*

5. Note use of verb form which goes with *nous* to express "Let's" — *Allons à table,* "Let's go to the table."
6. The teacher should drill students in phrases equivalent to "with pleasure," "you are welcome," "it is nothing," etc., which you will find in this lesson.
7. The game of *colin-maillard* is equivalent to "blindman's buff," but in French

the name is derived from a medieval knight named Colin, who lost the sight of both his eyes in a battle but went on fighting, anyway. *Maillard* refers to his suit of mail.

EXERCISE CONTENT

Exercise I: Choice of correct word.

Exercise II: Complete answers to questions.

Exercise III: Fill in missing words to retell story of Birthday Party.

Key to exercise I: 1. chantent. 2. joli. 3. le gâteau d'anniversaire. 4. de la guitare. 5. les yeux.

Key to exercise II: 1. Elle joue de la guitare. 2. Il lui donne un cadeau. 3. Ils lui chantent "Bon Anniversaire." 4. Il y a le gâteau d'anniversaire. 5. Ils lui disent "Au revoir" à cinq heures.

Key to exercise III: 1. donne . . . ses. 2. vont. 3. quelque chose . . . petit. 4. au piano . . . de la guitare. 5. chantent. 6. couvre. 7. un mouchoir. 8. voit. 9. attrape. 10. vont. 11. il y a. 12. coupe. 13. Bon Anniversaire. 14. disent. 15. dit.

DICTIONARY

A

a (ah) has
à (ah) to, at
à partir de (ah-pahr-teer-duh) starting from
âge (ahzh) *m.* age
agneau (ah-n'yoh) *m.* lamb
aimable (eh-mahbl) kind
aimer (eh-meh) to love, to like
allemande,-e (ahl-mahng, ahl-mahnd) German
aller (ah-leh) to go
alphabet (ahl-fah-beh) *m.* alphabet
Amérique (ah-meh-reek) *m.* America
américain, - e (ah-meh-ree-kehng, ah-meh-ree-ken) American
ami (ah-mee) *m.* friend
amusant, - e (ah-mew-zawng) amusing
an (ahng) *m.* year
ananas (ah-nah-nahs) *m.* pineapple
anglais,-e (ahn-gleh, ahn-glaze) English
Angleterre (ahn-gluh-tehr) *f.* England
animal, - aux (ah-nee-mahl) *m.* animal
anniversaire (ah-nee-vehr-sehr) *m.* birthday
appétit (ah-peh-tee) *m.* appetite
après (ah-preh) after
après-midi (ah-preh-mee-dee) *m.* afternoon
arbre (ahrbr) *m.* tree
asperge (ahs-pehrzh) *f.* asparagus
assez (ah-say) enough
assiette (ah-s'yet) *f.* plate
assis,-e (ah-see,ah-seez) seated
attraper (ah-trah-peh) catch
au-dessous (oh-duh-soo) under
au-dessus (oh-duh-sew) on top, over
au revoir (oh-ruh-vwahr) good-bye
aussi (oh-see) also
autobus (oh-toh-bews) bus
automobile (oh-toh-moh-beel) automobile
autre (ohtr) other
avant (ah-vahng) before, in front of
avec (ah-vehk) with
avez (ah-veh) [you] have
avoir (ah-v'wahr) to have
avons (ah-vohng) [we] have

B

balançoire (bah-lahng-swahr) *f.* swing
balle (bahl) *f.* ball, bullet
ballon (bah-lohng) *m.* balloon, football
banane (bah-nahn) *f.* banana
bateau (bah-toh) *m.* boat
beau,belle (boh,behl) beautiful
beaucoup (boh-koo) much
bébé (beh-beh) *m.* baby
beurre (buhr) *m.* butter
bibliothèque (bee-blee-oh-tehk) *f.* library
bicyclette (bee-see-kleht) *f.* bicycle
bien (b'yehn) well, good
bientôt (b'yehn-toh) soon
bifteck (beef-tehk) *m.* steak
billes (bee) *f.* marbles
blanc,blanche (blahng,blahnsh) white
bleu, - e (bluh) blue
blond,-e (blohng,blohnd) blond
blouse (blooz) *f.* blouse
boire (bwahr) to drink
boîte (bwaht) *f.* box
bon, - ne (bohng,bonn) good
bonjour (bohng-zhoor) good day, good morning
bonne nuit (bohn nwee) goodnight
bouche (boosh) *f.* mouth
bouteille (boo-tay) *f.* bottle
bras (brah) arm
but (bew) goal, purpose

C

cadeau (kah-doh) *m.* gift
café (kah-feh) *m.* coffee
cage (kahzh) *f.* cage
cahier (kah-yeh) *m.* notebook
canapé (kah-nah-peh) *m.* sofa
carotte (kah-roht) *f.* carrot
carte (kahrt) *f.* map
casquette (kahs-keht) *f.* cap
ce, cette (suh, set) this
ceinture (sehn-tewr) *f.* belt
cela (suh-lah) that, (pron.)
cent (sahng) hundred
centime (sahn-teem) *m.* cent
cerf-volant (sehrf-voh-lahng) *m.* kite
cerise (seh-reez) *f.* cherry
chaise (shehz) *f.* chair
chambre (shahmbr) *f.* room
chanson (shahng-sohng) *f.* song
chanter (shahn-teh) to sing
chapeau (shah-poh) *m.* hat
chaque (shahk) each, every
chat (shah) *f.* cat
chaud-e (shoh,shode) hot, warm
chaussette (shoh-set) *f.* sock
chaussure (shoh-sewr) *f.* shoe
chemise (shuh-meez) *f.* shirt
cheveu, -x (shuh-vuh) *m.* hair
chez (sheh) at/in the home of
chien (sh'yehng) *m.* dog
chinois, -e (shee-nwah, shee-nwaz) Chinese
chocolat (shoh-koh-lah) *m.* chocolate
chose (shohz) *f.* thing, matter
chou (shoo) *m.* cabbage

chou-fleur (shoo-fluhr) *m.* cauliflower
cinéma (see-neh-mah) *m.* movie house
cinq (sahnq) five
cinquante (sahn-kahnt) fifty
cinquième (sank-yehm) fifth
citron (see-trohn) *m.* lemon
classe (klahs) *f.* class
colin-maillard (koh-lehng my-yahr) blindman's buff
combien (kohn-b'yehng) how much
comme (kohm) as, how, like
compter (kohm-teh) to count
connaître (koh-nehtr) to know
corbeille (kohr-bay) *f.* basket
corde (kohrd) *f.* rope, string, jump rope
corps (kohr) *m.* body
côté (koh-teh) *m.* side
côtelette (koht-let) *f.* chop
cou (koo) *m.* neck
coucher (koo-sheh) to lie down
couleur (koo-luhr) *f.* color
couper (koo-peh) to cut
courir (koo-reer) to run
court, -e (koor, koort) short
couteau, -x (koo-toh) *m.* knife
couvrir (koo-vreer) to cover
crayon (kreh-yohng) *m.* pencil
crème (krehm) *f.* cream
cuillère (kew-yehr) *f.* spoon
cuisine (kwee-zeen) *f.* kitchen
cuisinière (kwee-zeen-yehr) cook

D

dans (dahn) in, at
danser (dahn-seh) to dance
de (duh) from, of
debout (duh-boo) upright, standing
déjà (deh-zhah) already
demain (duh-mehn) tomorrow
demander (duh-mahn-deh) to ask
demoiselle (duh-mwah-zehl) *f.* miss
dent (dahn) *f.* tooth
derrière (duh-r'yehr) behind
descendre (deh-sahnd'r) get off, go down
dessous (duh-soo) underneath, below
dessus (duh-sew) on top, over, above
deux (duh) two
deuxième (duh-z'yehm) second
devant (duh-vahng) in front of, before
devoir (duh-v'wahr) *m.* homework
dictionnaire (dick-see-oh-nehr) *m.* dictionary
différent, - e (dee-feh-rahng, dee-feh-rahnt) different
dimanche (dee-mahnsh) *m.* Sunday
dinde (dehnd) *f.* turkey hen
dîner (dee-neh) *m.* supper
dire (deer) to say, tell
dix (deez) ten
dix-huit (deez-weet) eighteen
dixième (dee-z'yehm) tenth
dix-neuf (deez-nuhf) nineteen
dix-sept (dees-set) seventeen
doigt (doah) *m.* finger
donner (doh-neh) to give
dormir (dohr-meer) to sleep
dos (doh) *m.* rear, back
douze (dooz) twelve
douzième (doo-z'yehm) twelfth
drapeau, -x (drah-poh) *m.* flag
droit,-e (drwah, drwaht) right
du (dew) of the

E

eau,-x (oh) *f.* water
école (eh-kohl) *f.* school
écrire (eh-kreer) to write
église (eh-glees) *f.* church
éléphant (eh-leh-fahng) *m.* elephant
élève (eh-lehv) *m. f.* student, pupil
elle, - s (ehl) *f.* she, they
en (ahng) in
encore (ahn-kohr) also, again, still
enfant (ahng-fahng) *m.* child
ensuite (ahng-sweet) afterwards
entre (ahntr) between
entrer (ahng-treh) to enter
épaule (eh-pohl) *f.* shoulder
épinard (eh-pee-nahr) *m.* spinach
Espagne (ehs-pine) *f.* Spain
espagnol,-e (ehs-pah-n'yohl) Spanish
est (eh) is
est-ce (ehss) is it
et (eh) and
êtes (eht) you are
être (ehtr) to be
Etats-Unis (eh-tah-zew-nee) *m.* United States
excellent (ehk-seh-lahng) excellent
exemple (ehk-sahmpl) *m.* example
exercice (ehk-sehr-seez) *m.* exercise

F

faire (fehr) to do
famille (fah-mee) *f.* family
femme (fahm) *f.* woman
fenêtre (fuh-naitr) *f.* window
fermer (fehr-meh) to close, to shut
fête (feht) *f.* holiday
fille (fee) *f.* daughter, girl
film (film) *m.* film
fils (fiss) *m.* son
finalement (fee-nahl-mahng) finally
fini,-e (fee-nee) finished, over
fleur (fluhr) *f.* flower
fois (fwah) *f.* time, times
football (foot-bahl) *m.* soccer
fourchette (foor-shet) *f.* fork
fraise (frehz) *f.* strawberry
franc (frahn) *m.* Franc
France (Frahns) *f.* France
français,-e (frahn-seh, frahn-says) French

frère (frehr) *m.* brother
frigidaire (free-zhee-dair) refrigerator
froid, -e (frwah, frwahd) cold
fruit (frwee) *m.* fruit

G

gant (gahn) *m.* glove
garage (gah-rahzh) *m.* garage
garçon (gahr-sohng) *m.* boy
gâteau (gah-toh) *m.* cake
gauche (gohsh) left
gentil, -le (zhahng-tee, zhahng-teel) kind
genou (zhuh-noo) *m.* knee
géographie (zheh-oh-grah-fee) *f.* geography
glace (glahss) *f.* ice cream, ice
grand, -e (grahng, grahnd) great, big
grand'mère (grahng-mehr) *f.* grandmother
grand-parents (grahng-pah-rahng) *m.* grand-parents
grand-père (grahng-pehr) *m.* grandfather
gris, -e (gree, greez) gray
gros, -se (groh, grohss) big
guitare (gee-tahr) *f.* guitar

H

habitant (ah-bee-tangh) *m.* inhabitant
haricot (ah-ree-koh) *m.* bean
heure (uhr) *f.* hour
hippopotame (ee-poh-poh-tahm) *m.* hippopotamus
homme (ohm) *m.* man
huit (weet) eight
huitième (wee-t'yehm) eighth

I

ici (ee-see) here
idée (ee-deh) *f.* idea
il, -s (eel) *f.* he, they
intelligent,-e (ehn-teh-lee-zhahng, -zhahnt) intelligent
intéressant,-e (ehn-teh-reh-sahng, sahnt) interesting
inviter (ehn-vee-teh) to invite
Italie (ee-tah-lee) *f.* Italy
italien,-ne (ee-tah-l'yehng, ee-tah-l-yehnn) Italian

J

jambe (zhahnb) *f.* leg
jambon (zhahn-bohn) *m.* ham
Japon (zhah-pohng) *m.* Japan
japonais, -e (zhah-poh-nay, nayz) Japanese
jardin (zhahr-dehng) *m.* garden
jardin zoologique (zhahr-dehng zoh-oh-loh-zheek) *m.* zoo
jaune (zhohn) yellow
je (zhuh) I
jeudi (zhuh-dee) *m.* Thursday
jeune (zhuhn) young
joli,-e (zhoh-lee) pretty
jouer (zhoo-eh) to play
jouet (zhoo-eh) toy
jour (zhoor) *m.* day
joyeux,-se (zhoh-yuh, -yuhz) joyous
jupe (zhewp) *f.* skirt
jusqu'à (zhewsk-ah) until

L

l' the
la (lah) the fem.
là (lah) there
laid, -e (leh, lehd) ugly
lait (lay) *m.* milk
laitue (lay-tew) *f.* lettuce
langue (lahng) *f.* tongue, language
le (luh) the (masc.)
leçon (leh-sohng) *f.* lesson
légume (leh-gewm) *m.* vegetable
les (leh) the (pl.)
lettre (lehtr) *f.* letter
leur,-s (luhr) their, theirs
leur (luhr) to them
lion (lee-ohn) *m.* lion
lire (leer) to read
livre (leevr) *m.* book
loin (lwehng) far
long,-ue (lohng) long
lui (lwee) to him, to her, to it
lundi (luhn-dee) *m.* Monday

M

ma (mah) *f.* my
madame (mah-dahm) *f.* madam
mademoiselle (mahd-mwah-zehl) *f.* miss
mai (may) *m.* May
maillot de bain (mah-yo duh behng) *m.* swimsuit
main (mehng) *f.* hand
maintenant (mehn-tuh-nahng) now
mais (may) but
maison (may-sohng) *f.* house, building
maman (mah-mahng) *f.* mother
manger (mahn-zheh) to eat
manteau (mahn-toh) *m.* coat
mardi (mahr-dee) *m.* Tuesday
marron (mahr-rohng) *m.* brown
matin (mah-tehng) *m.* morning
merci (mehr-see) thank you
mercredi (muhr-kreh-dee) *m.* Wednesday
mère (mehr) *f.* mother
mes (meh) my (pl.)
mettre (met-tr) to put
miel (m'yehl) *m.* honey
mignon (mee-n'yohn) small, nice
mille (meel) thousand
million (mee-l'yohng) *m.* million
moi (mwah) I, me
moins (mwehng) less
mois (mwah) month
mon (mohng) *m.* my
monsieur (muh-s'yuh) Mr., gentleman
monter (mohn-teh) to go up, to mount
morceau (mohr-soh) *m.* piece
mot (moh) *m.* word
mouchoir (moo-shwahr) *m.* handkerchief
mur (mewr) *m.* wall
musique (mew-zeek) *f.* music

N

nager (nah-zheh) to swim
naturellement (nah-tew-rehl-mahng) naturally
ne (nuh) not
neuf (nuhf) *m.* new, nine
neuvième (nuh-v'yehm) ninth
nez (neh) *m.* nose
noir,-e (nwahr) black
nom, (nohm) *m.* name
nombre (nohmbr) *m.* number
non (nohng) no
nos (noh) our (plur.)
notre (nohtr) our (sing.)
nous (noo) we
nuit (nwee) *f.* night
numéro (new-meh-roh) *m.* number

O

oeil (oy) *m.* eye
oignon (oh-n'yohng) *m.* onion
oiseau (wah-zoh) *m.* bird
onze (ohnz) eleven
onzième (ohn-z'yehm) eleventh
orange (oh-rahnzh) *f.* orange
oreille (oh-ray) *f.* ear
ou (oo) or
où (oo) where
oui (wee) yes
ours (oorss) *m.* bear
ouvrir (oo-vreer) to open

P

pain (pehng) *m.* bread
pantalon (pahn-tah-lohng) *m.* trousers
paon (pahng) *m.* peacock
papier (pah-p'yeh) *m.* paper
par (pahr) by, for
parc (park) park
par-ci par-là (pahr-see pahr-lah) here and there
pardessus (pahr-deh-sew) overcoat
parents (pah-rahng) parents
parfait,-e (pahr-feh, pahr-feht) perfect
parler (pahr-leh) to speak
partie (pahr-tee) *f.* part
partir (pahr-teer) to depart
pas (pah) not (ne . . . pas)
pays (peh-ee) *m.* country
pêche (pehsh) *f.* peach
pendant (pahn-dahng) while, during
père (pehr) *m.* father
personne (pehr-sohn) *f.* person, nobody, no one
petit,-e (puh-tee, puh-teet) little, small
peu (puh) *f.* little
phrase (phrahz) *f.* sentence
piano (p'yah-noh) *m.* piano
pied (p'yeh) *m.* foot
à pied (ah p'yeh) on foot
piscine (pee-seen) *f.* pool
plage (plahzh) *f.* shore, beach
plaisir (pleh-zeer) *m.* pleasure
plat (plah) *m.* dish
plus (plew) more, plus
poire (pwahr) *f.* pear
pois (pwah) *m.* pea
poisson (pwah-sohn) *m.* fish
poitrine (pwah-treen) *f.* chest
poivre (pwahvr) *m.* pepper
pomme (pohm) *f.* apple
pomme de terre (pohm duh tehr) *f.* potato
pommier (pohm-mee-yay) *m.* apple tree
porte (pohrt) *f.* door
poulet (poo-leh) *m.* chicken
poupée (poo-peh) doll
premier,-ère (pruh-m'yeh, pruh-m'yehr) first
près (preh) close by, near
prendre (prahndr) to take
presque (prehs-kuh) almost
professeur (proh-fehs-suhr) *m.* professor
programme (proh-grahm) *m.* program
prononciation (proh-nohng-see-ah-s'yohn) *f.* pronunciation
pupitre (pew-pee-tr) *m.* desk

Q

quarante (kah-rahnt) forty
quatorze (kah-tohrz) fourteen
quatorzième (kah-tohr-z'yehm) fourteenth
quatre (kahtr) four
quatre-vingts (kahtr-vehng) eighty
quatre-vingt-dix (kahtr vehng deez) ninety
quatrième (kah-tr'yehm) fourth
que (kuh) that, what
quel, -le (kehl) which
quelque (kehl-kuh) some
quelqu'un (kehl-kuhn) someone
qui (kee) who
quinze (kehnz) fifteen
quinzième (kehn-z'yehm) fifteenth
quoi (kwah) what

R

radio (rah-d'yoh) *f.* radio
raisin (reh-zehn) *m.* grape
raquette (rah-kett) *f.* racket
regarder (ruh-gahr-deh) to look at, to observe
repas (ruh-pah) *m.* meal
répondre (reh-pohndr) to answer
restaurant (ruh-stoh-rahng) *m.* restaurant
revoir (ruh-vwahr) to see again
rien (r'yehng) nothing
riz (ree) *m.* rice
robe (rohb) *f.* dress
rose (rohz) *f.* rose, pink
rôti (roh-tee) *m.* roast
rouge (roozh) red
rue (rew) *f.* street
russe (rews) Russian

S

sa (sah) his, hers, its (fem.)
salle à manger (sahl ah mahn -zheh) *f.* dining room

salon (sah-lohng) *m.* living room
samedi (sahm-dee) *m.* Saturday
sauf (sohf) except
sauter (soh-teh) to jump, to leap
sauvage (soh-vahzh) wild, savage
savoir (sah-vwahr) to know
seize (sehz) sixteen
seizième (seh-z'yehm) sixteenth
sel (sehl) *m.* salt
semaine (suh-mehn) *f.* week
sept (set) seven
septième (seh-t'yehm) seventeenth
serpent (sehr-pahng) *m.* snake
serviette (sehr-v'yet) *f.* napkin
seulement (suhl-mahng) only
s'il vous plaît (seel voo play) if you please, please
singe (sehnzh) *m.* ape, monkey
six (seez) six
sixième (see-z'yehm) sixth
soeur (suhr) *f.* sister
soixante (swah-sahnt) sixty
soixante-dix (swah-sahnt-deez) seventy
soleil (soh-lay) *m.* sun
son (sohng) his, her, its (masc.)
sortir (sohr-teer) to go out
soupe (soop) *f.* soup
souris (soo-ree) *f.* mouse
sous (soo) under
sucre (sewkr) *m.* sugar
sur (sewr) on top of, above, on
sûrement (sewr-mahng) surely

T

table (tahbl) *m.* table
tableau (tah-bloh) *m.* picture, blackboard
tasse (tahss) *f.* cup
téléphone (teh-leh-phohn) *m.* telephone
télévision (teh-leh-vee-z'yohn) *f.* television
tenir (tuh-neer) to hold
tennis (teh-nees) *m.* tennis
terre (tehr) *f.* earth
tête (teht) *f.* head
thé (teh) *m.* tea
tigre (teegr) *m.* tiger
toi (twah) you
tomate (toh-maht) *f.* tomato
toujours (too-zhoor) always
toupie (toopee) *f.* spinning-top
tout,-te (too, toot) everything, whole, entire, all
train (trehn) *m.* train
treize (trehz) thirteen
treizième (threh-z'yehm) thirteenth
trente (trahnt) thirty
très (treh) very
trois (trwah) three
troisième (trwah-z'yehm) third
trop (troh) too much
tulipe (tew-leep) *f.* tulip

U

un, une (uhn, ewn) one

V

vendredi (vahndr-dee) *m.* Friday
venir (veh-neer) to come
verbe (vehrb) verb
verre (vehr) *m.* glass
vers (vehr) towards
vert,-e (vehr, vehrt) green
veste (vest) jacket
veston (vehs-tohn) *m.* jacket
viande (vee-ahnd) *f.* meat
vingt (vehng) twenty
vingt-deux (vehnt-duh) twenty-two
vingt-cinq (vehnt-sehnk) twenty-five
vingt-et-un (vehng-teh-uhng) twenty-one
vingt-huit (vehnt-wit) twenty-eight
vingt-neuf (vehnt-nuf) twenty-nine
vingt-quatre (vehng-kahtr) twenty-four
vingt-six (vehng-seez) twenty-six
vingt-sept (vehng-set) twenty-seven
violet-e (vee-oh-leh, vee-oh-lett) *f.* violet (color)
violette (vee-oh-let) *f.* violet (flower)
violon (vee-oh-lohng) *m.* violin
visage (vee-sahzh) *m.* face
visite (vee-seet) *f.* visit
voici (vwah-see) here
voilà (vwah-lah) there
voir (vwahr) to see
vos (voh) your (plur.)
votre (vohtr) your (sing.)
vous (voo) you
vrai (vreh) true

Y

y (ee) there, here
yeux (yuh) *m.* eyes

Z

zoologique (zoh-oh-loh-zheek) zoological

Comment ça va, Michel?
Bonjour,
Madame Caron!
Regardez mon petit chat!
Miaou!
Il est très joli!